JN035135

総合判例研究叢書

民　法 (3)

有　斐　閣

民法・編集委員

谷口知平

有泉亨

序

フランスにおいて、自由法学の名とともに判例の研究が異常な発達を遂げているのは、その民法典が百五十余年の齢を重ねたからだといわれている。それに比較すると、わが国の諸法典は、まだ若い。最も古いものでも、六、七十年の年月を経たに過ぎない。しかし、わが国の諸法典は、いずれも近代的法制を全く知らなかつたところに輸入されたものである。そのことを思えば、この六十年の間に極めて重要な判例の変遷があつたであろうことは、容易に想像がつく。事実、わが国の諸法典は、それに関連する判例の研究でこれを補充しなければ、その正確な意味を理解し得ないようになつている。

判例が法源であるかどうかの理論については、今日なお議論の余地があろう。しかし、実際問題として、多くの条項が判例によつてその具体的な意義を明かにされているばかりでなく、判例によつて特殊の制度が創造されている例も、決して少くはない。判例研究の重要なことについては、何人も異議のないことであろう。

判例の創造した特殊の制度の内容を明かにするためにはもちろんのこと、判例によつて明かにされた条項の意義を探るためにも、判例の総合的な研究が必要である。同一の事項についてのすべての判決を探り、取り扱われた事実の微妙な差異に注意しながら、総合的・発展的に研究するのでなければ、判例の研究は、決して終局の目的を達することができない。そしてそれには、時間をかけた克明な努力を必要とする。

幸なことには、わが国でも、十数年来、そうした研究の必要が感じられ、優れた成果も少くないようになつた。いまや、この成果を集め、足らざるを補ない、欠けたるを充たし、全分野にわたる研究を完成すべき時期に際会している。

かようにして、われわれは、全国の学者を動員し、すでに優れた研究のできているものについては、その補訂を乞い、まだ研究の尽されていないものについては、新たに適任者にお願いして、ここに「総合判例研究叢書」を編むことにした。第一回に発表したものは、各法域に亘る重要な問題のうち、研究成果の比較的早くでき上ると予想されるものである。これに洩れた事項でさらに重要なもののあることは、われわれもよく知つている。やがて、第二回、第三回と編集を継続して、完全な総合判例法の完成を期するつもりである。ここに、編集に当つての所信を述べ、協力される諸学者に深甚の謝意を表するとともに、同学の士の援助を願う次第である。

昭和三十一年五月

編集代表

小野清一郎　官沢俊義

末川博　我妻栄

中川善之助

凡例

一　判例の重要なものについては、判旨、事実、上告論旨等を引用し、各件毎に一連番号を附した。

二　判例年月日、巻数、頁数等を示すには、おおむね左の略号を用いた。

大判大五・一一・八民録二・二〇七七　（大審院判決録）

（大正五年十一月八日、大審院判決、大審院民事判決録二十二輯二〇七七頁）

大判大一四・四・二三刑集四・二六二　（大審院判例集）

最判昭二二・一二・一五刑集一・一・八〇　（最高裁判所判例集）

（昭和二十二年十二月十五日、最高裁判所判決、最高裁判所刑事判例集一巻一号八〇頁）

大判昭二・一二・六新聞二七九一・一五　（法律新聞）

大判昭三・九・二〇評論一八民法五七五　（法律評論）

大判昭四・五・二二裁判例三・刑法五五　（大審院裁判例）

福岡高判昭二六・一二・一四刑集四・一四・二一一四　（高等裁判所判例集）

大阪高判昭二八・七・四下級民集四・七・九七一　（下級裁判所民事裁判例集）

最判昭二八・二・二〇行政例集四・二・二三一　（行政事件裁判例集）

名古屋高判昭二五・五・八特一〇・七〇　（高等裁判所刑事判決特報）

東京高判昭三〇・一〇・二四東京高時報六・二・民二四九　（東京高等裁判所判決時報）

札幌高決昭二九・七・二三高裁特報一・二・七一　（高等裁判所刑事裁判特報）

前橋地決昭三〇・六・三〇労民集六・四・三八九　（労働関係民事裁判例集）

その他に、例えば次のような略語を用いた。

裁判所時報＝裁　時　家庭裁判所月報＝家裁月報

判例時報＝判　時　判例タイムズ＝判　タ

目　次

中川善之助
島津一郎

離婚原因

離婚原因

中川善之助
島津一郎

離婚原因の研究というものは、最も判例綜合研究に適するテーマであるし、またこうした視角からの研究でなくては究明できない課題だともいえる。とりわけ民法七七〇条一項一号の「不貞行為」とか、同五号の「婚姻を継続し難い重大な事由」というような概念は、単なる抽象的論理だけでは到底十分に解釈適用の指針を与えることができない性質のものといえるであろう。

こうした意味で前年公刊された太田武男君の「離婚原因の研究」は特に高く評価されて然るべきものといわねばならない。

しかしまた他の一面からいえば、いくら太田君の業績が大きい精わしいものであつても、もうこの問題については誰も新らしい論文や著述を書けないというようなものではない。それは資料の中心をなす判例の集め方そのものについても人によつて相違があろうし、判例の解釈ということになれば、なお一層個人的な、十人十色とまではいかないだろうけれど、かなり甲と乙とで異なる意味や評価を与えることがありうる。ただ、他の場合と同様、既に精わしい研究が発表された後で同じ課題を取扱つてしかも摸倣に終らせないということはなかなか難かしい仕事であるには違いないのである。

島津一郎君の判例綜合研究は正にこの難かしい仕事であつたといえよう。執筆中、幾度も私は相談や照会をうけたので、どんなに同君が苦労していたかということは知つている。漸くその苦労に花が咲いて、広く学界の鑑識に供されるようになつたことは、どの点から見ても喜ばしい次第である。切に大方の厳正な批判を期待する。

同時に私は、太田君が島津君のために良き助言や示唆を与え、また大切な資料までを利用させられたことを、研究者の協力誘掖という意味から、特にここに記して感謝の意を表したいと思う。

昭和三十二年一月二十日

仙台にて　中川善之助

一　総　説

一　新法の原理――有責主義と破綻主義

旧法が主として有責的な離婚原因を列挙し、家父長制的な離婚原因を規定したのに対して、すでに旧法制定の前後に、無責的・相対的な離婚原因をも規定すべきだという主張や、夫の姦通を理由としても離婚を求めうるよう、男女を平等に扱うべきだとする議論が行われたが、民法改正の機運も結局はこの方向にうごいた。昭和二年臨時法制審議会が発表した「民法改正要綱」では、一方相対的離婚原因がもうけられたが、他方家族制度的規定の払拭は十分ではなく、わずかに婿養子の離縁が離婚原因から落されたにすぎず、貞操義務違反については、なお「㈠妻ニ不貞ノ行為アリタルトキ　㈡夫ガ著シク不行跡ナルトキ」と、離婚原因が書きわけられた。

第二次大戦の敗戦・ポツダム宣言の受諾によつて、法律制度も民主主義的に改変されることになり、臨時法制調査会で改正要綱や法案が準備されたが、この過程で、昭和二年の改正要綱にまだ残された家族制度的な離婚原因も完全に姿を消した。昭和二一年七月二七日付の「民法改正要綱案」(起草委員第一次案)では、貞操義務についての、男女の不平等が完全に除かれて、離婚原因は「配偶者に不貞の行為ありたるとき」一本にまとめられ(我妻栄編「戦後における民法改正の経過」二二五頁)、さらに改正法案作成の途上、第一次案から第七次案(昭二二年六月二四日付)にかけて当事者の直系尊属に関する離婚原因が削られた(前掲書三〇二・三〇五頁)。

こうして新法(昭和二三年一月一日施行の民法の一部を改正する法律)ができあがつた。旧法から――正確にいえば応急措置法(同五条三項は、配偶者の「著しい不貞行為」を離婚原因とする。昭二二年五月三日施行）を経て——新法にかけて、離婚原因法の原理も大きく転回した。一は、有責主義・制限主義から破綻主義・相対主義の採用へ、他は家による拘束から家からの解放へと（中川善之助編「註釈親族法」（上）二七一頁、太田武男「離婚原因の研究」二六頁）。

破綻主義は有責主義にいろいろな点でまさっている。第一に、有責主義は複雑な現実に適合しない。すべての離婚事件に有責配偶者が見出されなければならないし、また見出されうる、とする考えは、心理学的に間誤っている。このことは、申立てられた有責的な原因と真の離婚原因との喰違いが非常に多いことを見れば、ただちに理解できる。当事者に責任がなくとも、婚姻の破綻はありうるのである。

第二に、離婚を望む場合には、必らず相手方の過失をあげよ、とする要請は、倫理的に擁護できない。一方配偶者は、その訴訟に勝つために、他方配偶者の罪状をできるだけ多くあげようとする。それによつて訴訟はますますきたならしいものとなる。そして尊敬すべき動機から相手方配偶者をなるたけ中傷しないように努める者は、訴訟に負けるおそれがあるのである。

しかしながら、破綻主義は、有責主義の一帰結による制限を必要とする。それは、婚姻の破綻について主として責任を負うべき配偶者は、自ら離婚を請求しえない。という制約である（詳しくは一の四参照）。

この原理は、破綻による離婚という原則の、極小の、しかも重大な結果を伴う例外をなすものであるから、できるだけ厳格に解釈されなければならない。離婚請求の棄却は、責任が「主として」請求者側にあることに結びつけられた効果であるから、「主として」とは、離婚請求者の責任が相手方の責任よりも著しく重大であるとの意に理解すべきである。婚姻の破綻についてどちらの当事者にも重い責任があり、どちらかの当事者により重い責任を帰しえない。という場合には、右の原理は適用されない。離婚を請求する配偶者の責任は、それ自身すでに重大なものでなければならないのであつて、相手方が無責で、請求者に軽い責任がある、という場合にも、右の原理によることなく、請求は認容されなければならない。しかし破綻が請求者の過失からだけ生じた、ということは必要ではない。外的な事情、たとえば経済的な困難、病気または舅姑との同居が破綻に寄与した場合でも、請求を棄却しうる、と思われる(X. Lienert, Die Schuld bei der Ehescheidung nach Schweiz. Recht, 1950, S. 98 f.)。

主として責任を負うべき配偶者の離婚請求を許さない、という原理は、若夫婦が舅姑と同居することの多いわが国では、特殊的な効用を発揮する(詳しくは一の四の(二)参照)。夫が姑の嫁いじめに同調・追随して妻に虐待侮辱を加えた、という場合には、いうまでもなく、夫の責に帰すべき事由によつて婚姻が破壊されたものとして、夫の離婚請求を認容すべきではないが、単に夫が姑の嫁いじめを放置したにすぎない場合にも、同様に不作為による協力義務違反という重大な事由があるものとみて、夫の離婚請求を棄却すべきである。姑による婚姻干渉を排除すべき義務は、普通人としての夫に対する過大な要請ではなく、むしろ民主主義下の人間として当然に負担しなければならぬ義務である。つぎの判例は、不法行為に関するものではあるが、このような義務を正面から承認した。「家」制度打破のため進歩的意義をもつものと思う。

【1】「およそ、夫婦は相互に誠実と愛情を基調として相扶けあい、足らざるを補いつつ共同生活の平和と幸福に協力すべき義務あることは、あえて民法第七百五十二条の規定をまつまでもないところである。従つてもし第三者が夫婦関係の安穏を脅かすような場合には極力これを防遏してその脅威を取り除くことに努

めなければならない。本件において被控訴人（夫）と控訴人（妻）との夫婦関係が破綻するに至つた発端は被控訴人の母キシノの嫁たる控訴人に対する思いやりの足りなかつた態度によることは前認定のとおりであるが、もし夫たる被控訴人にして妻たる控訴人に対し相互扶助の精神に立脚して温情と誠実とを以てこれに対処し、母を諫めてその啓蒙に十分の努力を払つたならば或は破綻を防止し得たものとも考えられる。被控訴人たるもの本件の破鏡が専ら母キシノと控訴人との関係によるもので自分の関するところではないとして活然たるを許さるべきではない。被控訴人が、誠意を尽して母と控訴人との間のわだかまりを解消し、円満な生活のできるよう最善の努力を払つたにかかわらず、尚且これを匡救し得なかつたとの立証のない限り被控訴人は本件離婚により控訴人の被つた損害を賠償すべき義務を免れ得ないものとせねばならない」（仙台高昭二六・六・一一民集一〇・二・一三五、最判昭三一・一二・二一の二審判決）。

ところで、主として責任を負うべき配偶者の離婚請求は許されない。という原理は、どのような実質的根拠によるものであろうか。三つの根拠があるとされる（Vgl. Lienert, ibid, S. 100 f.）。

その一は、あざむかれた被告の保護である。この目的は、離婚判決が被告の意思に反してなされてはならない、ということで一応は達することができるが、しかし、逆に、被告の意思に反しない場合には離婚判決をなしうる、とすれば、多少行過ぎの感がある。離婚に対する反対と賛成との間には、どちらともつかない、いわば不作為の広い領域があるのであつて、被告の保護という面でみれば、このような場合にはむしろ被告は離婚に反対しているとみて、原告の離婚請求を棄却すべきものであろう。したがつて、原告が主として責任を負うべき場合には、彼告の意思に反して離婚することをえないばかりではなく、被告の意思なくしては、換言すれば被告の意思も離婚に向けられているのでなければ、離婚することができない、というべきである。このような保護は、原告の責任が職権で調査され、それに応じて請求が棄却されるときに、最も有効適切に行われる。

その二は、制度としての婚姻の保護である。婚姻の存続、その前提をなす婚姻義務の履行は、公共にとつて保護に値する利益である。したがつて婚姻義務の懈怠には、離婚請求の拒否というサンクションを与えなければならない、そうして安易な離婚を阻止しなければならない、というのである。しかし、婚姻の本質を考慮にいれれば、このような理由から、ただちに、被告の同意がある場合にも原告の離婚請求を拒否すべし、との結論を導き出すことはできないと思う。

その三は、公平の原則である。「何人も自己の過失から法的利益をうることなし」という原理は、遠くユスティニアーヌスの学説彙纂(五〇・一七・一三七・一)に遡るが、主として責任を負うべき配偶者が、自己の過失を理由に離婚を求めることによつてその義務を免れることはできない、というのは、その一適用にほかならない。この場合には、原告の離婚請求に対して被告が同意を与えても、請求の認容によつて原告が法的利益をうけることには変りはない。したがつて公平の原則を堅持するかぎり、離婚は少い責任を負うべき配偶者の請求によつてだけ許されるということにならざるをえない。

しかしながら、主として責任を負うべき配偶者の離婚請求は許さない、という原理は、破綻主義離婚法の極小の制限であつて、その原理の解釈自身を厳格にすべきであると同時に、その適用範囲を狭小にすべきである。すなわち被告の明瞭な意思の表現であり、反訴の強度をもつ同意があれば、原告が主たる責任を負うべきであるにかかわらず、その離婚請求を認容すべきである。表示された明瞭な離婚意思のなかには、固有の離婚請求があるとみるべきであつて、このような場合には、離婚はもはや主として責任を負うべき配偶者の利益となるにすぎないのではなく、両配偶者の願望となるからである。同意は窮極の効果において反訴に等しい。下級審の判例には、少い責任を負うべき被告からの反訴請求を認容し、主として責任を負うべき原告からの本訴請求を棄却しているものをみかけるが、被告に明瞭な離婚意思がある場合にも、形式的に右の原理を適用し、本訴と反訴とを区別して扱うべき理由は何もないといわねばならない（詳しくは一の四（三）参照）。

二　新法の離婚原因

離婚原因は、一般に、二つの角度から整理される。一は、それが責任を前提としているかいなかによつて。他はそれがそれだけで離婚請求権を確定的に発生させ、絶対的、無条件的にはたらくか、それとも具体的場合に裁判官の価値判断から婚姻を破壊したとみられるときにだけ、離婚請求権を発生させ、相対的、条件的にはたらくかによつて。

前者の分類では、「不貞な行為」と「悪意の遺棄」が有責的離婚原因であり、「回復の見込のない、強度の精神病」が無責的離婚原因であり、「三年以上の生死不明」もほぼこれに属し、さらに「婚姻を継続し難い重大な事由」は「相手方に有責行為のあることを要件とするものでない」から、有責的な原因と無責的なそれとの両者を含むものということができる。

問題は、後者の分類である。新法の立案者達が一号から四号までの離婚原因を五号に定められた「その他婚姻を継続し難い重大な事由」の例示とみていたことは、新法を審議した第一国会で、政府委員がこの旨を繰り返し説明したことからうかがえるが（最高裁判所事務総局家庭局「民法改正に関する国会関係資料」（家庭裁判資料三四号）一四三・五四六頁など）、学説にもこれを明言しているものが少くない（我妻・立石「親族法・相続法」コンメンタール一四九頁、中川善之助編「註釈親族法」（上）二七六頁、同監修「註解親族法」一三九頁など）。

しかし、「例示」を文字通り例示の意味、すなわち制限列挙主義の廃止というだけの意味に理解するか、それとも「例示」にそれ以上の意味を付与するか、ということになると、見解は二つに分れるようである。「例示」に文言以上の意味を与える後者の見解はこうである。一号から四号までの離婚原因は、五号の「その他婚姻を継続し難い重大な事由」を前提とするものであつて、一号から四号の離婚原因に該る事実があれば、婚姻の継続が困難になつているという事情が、法律上推定されはするが、このような破綻が現実に生じない場合には、一号から四号までの離婚原因にあたる事実があつても、離婚請求権は発生しない、というのである。前者の見解と後者のそれとの相違は、具体的には二項の規定の重さをどうとるかにあらわれる。前者の見解は、二項の規定をまつてはじめて一号ないし四号の個別的離婚原因が相対化するとみるのに対して、後者の見解は、五号の相対的離婚原因が設けられた関係から、二号の明記をまつまでもなく、解釈上一号ないし四号の離婚原因は相対化するのであつて、二項はただこの旨を注意的に規定したにすぎない、と説く（中川善之助監修「註解親族法」一四〇頁）。二項のような明文の規定を欠くスイス民法のもとでは、通説・判例は後者の見解をとつている（P. Tour, Das Schweiz. Zivilgesetzbuch, 5. Aufl., S. 139 u. dort zitierte BGE 53², 197; Lienert, ibid. S, 11. Anm. 5.）。

ところで、わが判例はどうみるか。事柄の性質上この点を論じた判例は少い。

【2】「民法第七百七十条第一項（但し第五号を除く）と第二項とは、その規定の仕方に於て、一見矛盾の存する様に見えるのであるが、その実質的意味を探究すると矛盾のないことが明白である。蓋し、第一項（但し、第五号を除く）は、過去の事実に基いて、離婚請求権が発生する場合を定めたものであるのに対し、第二項は、将来発生すべき事態を考慮した規定であつて、将来に於て、婚姻関係の実質の円満なる回復の可能性がある場合は、既に、発生した離婚請求権を消滅させると云う規定であるからである。即ち、第一

項は、離婚請求権発生に関する規定であるが、第二項は、その発生した請求権の消滅に関する規定であつて、改正前の民法第八百十四条乃至第八百十七条と同趣旨の規定であるからである。故に、右第二項に謂うところの離婚請求を棄却することが出来ると云う意味は、離婚請求権が消滅すると云う意味である。即ち、離婚請求権が消滅するが故に、離婚の請求を棄却することが出来ると云う意味である。斯様な次第であるから、第一項と第二項との間には矛盾はないのである」（東京地判昭三〇・五・六下裁民集六・五・八九六）。

右の判例理論によれば、一号ないし四号の離婚原因は絶対的離婚原因であり、それに該当する事実があれば、それだけで、つまり婚姻が破綻しているかいないかにかかわらず、離婚請求権が発生する、ということになる。しかし、二項の明文が設けられていて、「婚姻の継続を相当と認める」かいなかの判断が何の制約もなしに裁判所に委されている現行法の解釈としては、一号から四号に規定された離婚原因を絶対的離婚原因といつてみたところで、結局それは言葉だけの問題に終つてしまうであろう（中川善之助「離婚原因論」東北法学会雑誌六号二頁）。

ただ二項の濫用を警戒するという趣旨からして、一号ないし四号の規定を適用するさいには、そこに定められた離婚原因を絶対的離婚原因に近いものと解釈する必要はあると思う。一九四六年の新ドイツ婚姻法は、(1)姦通（同四二）、(2)その他の重大な婚姻義務違反（同四三）、(3)精神病（同四五）、(4)精神障害に基ずく挙動（同四四）、(5)重い伝染病または嫌悪すべき病気（同四六）、(6)三年間継続した家族共同体の廃止を伴う婚姻破綻（同四八）、を離婚原因とするが、このうち(1)(3)(5)を絶対的離婚原因とする（H. Lehmann, Deutsches Familienrecht, 2. Aufl. S. 137 f.）。

三　二項の適用

七七〇条二項の規定は、立法の当初からその濫用が心配された。新法を審議した第一国会の司法委員会では「第七百七十条第二項を削る」という修正案が提出された。修正の理由を榊原千代委員は、「司法省の法制審議会（臨時法制調査会のこと）が第一の離婚の原因として、配偶者に不貞な行為があつたときと司法省に答申したのに対して、もう一度臨時措置法（応急措置法のこと）において、著しい不貞な行為があつたときと、書き改めたような司法官の頭を考えると、私たちは裁判官を必ずしも進歩的な人ばかりとは素直に信ずることができないのであります。……むしろ私はこの規定が濫用されて、不幸にしてめぐり合つた封建的な判事が、たとえば不貞だと言つてもそう著しいことではなしとか、あるいは夫が精神病でも貞淑な妻は生涯看護すべきだというふうな頭で、自由な意思によつて自由な公正の道を、新しい覚悟をもつて立とうとするものに抑圧を加え、個性の尊厳を冒すようなことがあつてはならないと考えるのであります。……法律上何人も肯定する最も妥当なる理由が列挙され、裁判取調べの結果その事実が証明され、しかも当事者は離婚を希望しておるとき、裁判の進行中裁判官が国民に対する親切から、離婚すべきでないだろうと忠告することはできても、裁判所が婚姻の継続を相当と認めるときは、離婚の請求を棄却することができるということは、新憲法のもとに存在してはならない、個人の権利侵害であります」と説明した（前掲「国会関係資料」三四〇頁。なお前掲「民法改正の経過」一四七頁、我妻・立石「親族法・相続法」コンメンタール一五〇頁参照）。修正案は起立少数で否決されたが、その提案者には果して先見の明があつたか。

（二）二項を適用した例

【3】 被告（妻）が隣家の愛人と数回情交関係を結んだ事案。

「原被告間には現在六人の子供（その中五人は未成年者）のあること、及び被告は昭和二十五年九月頃から夫である原告方に戻り、その後は昭和二十六年三月頃から従来の素行を深く反省して現在原告と同居して原告の愛情を取り戻そうと努め、且つ自身も内職をしながら困難な家計をやりくりして懸命によき主婦となろうとしていて、被告の気持としては、原告及び六人の子供との健全な家庭生活の継続を強く希んでいること等一切の事情を考慮するときは、原被告間の婚姻関係は、前記認定のとおり離婚原因が存在するに拘わらず、なお継続させることが相当であると認められる。よつて原告の離婚を求める本訴請求はこれを棄却する」（浦和地昭二六（タ）四号昭二六・一〇・二六）。

【4】被告（夫）は、女癖が悪く、賭事を好み、かつ短気粗暴。戦争中は軍需会社の総務部長を勤め、羽振りがよく、芸妓二人を順次に妾とした。しかし終戦とともに会社がつぶれると、全く無為徒食の輩となり、売食いに沈潜する有様であつたが、なお女関係は立切れず、バーのマダム一人、原告（妻）が被告に愛想をつかして家出した後家政婦として雇いいれた女一人とつぎつぎに関係を結んだ。

「（イ）被告が、依然として、原告に対し、愛情を持ち続け、現在に於ては、その過去に於ける一切の所業や原告に対する一切の仕打を後悔し、今後は、従前の様な生活態度は之を改め、原告と共に生活再建の為めに努力することを決意し、ひたすら、原告が被告の許に復帰することを願つて居ること、（ロ）又、女性の関係も既に一切清算し、原告が被告の許を出てから後、一時身の廻りの世話をさせる為めに同居させて居た訴外たけ子とも手を切つて居て、将来左様な関係を作らないことに決意して居ること、（ハ）原告が、年齢満五十歳で、女性としては既に、その本来の使命を終り、今後は云わば余生の如きもので、今後に於て、花咲く人生は到底之を期待し得ないと考えられるのに反し、被告は、漸く四九歳に達したばかりで、その前半の人生が順調であつたのに反し、終戦後は、苦難な生活が続き、妻たる原告にすら見限られる様な失態を演じつつも、その体験を深め、人間として漸く成熟し来たつたと認められるので、男子としての真の活動は、今後に於て、期待し得られる事情にあること、（ニ）のみならず、被告は、経済的活動能力に於て優れて居るのであるから、真に活動の機会さえ得れば、何時でも十分に活動し得られるのであるし、経済界の事情も亦漸次被告の活動の機会が得られる様な事情に動いて居ると認められるので今後、被告に活動の期待を十分に持ち得ると考えられる事情にあること。そして、斯くなれば、原告は妻として、又、明るい生活を期待し得られるのであるから、客観的に見れば、原告が、被告と離れ、若干の収入を得て、淋しく一人身の生活を送るよりも、幸福であること幾増倍であると考えられる事情にあること。従つて、原告は、被告と離婚するよりも被告の許に復帰し、被告と再び夫婦生活を送ることが、原告の為めにより幸福であると考えられる事情にあると認められること（斯の如き事情が認められる上に、前記の様に、被告は、原告の復帰することをひたすら願つて居るのであるから、原告は、この際、被告の許に復帰すべきであつて、一人我を張り、復帰を肯んぜないとすれば、それは俗に云う、女妙利の尽きる仕儀であると認められても、亦、止むを得ない事情にあると認められる）、（ホ）略。（ヘ）被告に、夫としての欠点のあることは、前記認定の事実に照し、明白なところであるが、原告にも、妻として忍耐力の不足、夫と共に生活再建の為めに努力しようとする積極的意慾の不足、逆境に抗する力の不足、我儘であること等の欠点もあつて、それが、夫婦間の愛情その他に影響を及ぼしたと認められる点もあるので、原被告間の現在の状態の現出については、原告に於ても若干の責任があり、被告のみを非難しないで、原告も十分に反省を加えれば、被告の現在の心境と併せ、将来夫婦間の円満な結合の回復の可能性もあると考えられる事情にあること。（ト）（チ）略」を考え合せると、「原被告は、婚姻を継続するのが相当であると認められるから、民法第七百七十条第二項を適用して、被告に右不貞行為のあることを理由とする原告の離婚の請求は、之を棄却する」（東京地昭三〇・五・六 下級民集六・五・八九六）。

【5】「被告（夫）は昭和十四年十二月入隊し、北支、フィリッピンを経て昭和十八年満洲に赴任し、終戦当時には現役主計少佐として関東軍経理部に勤務していたが、終戦後ソ連に抑留され、昭和二十二年五月頃チタ地区収容所に収容されたこと、当時同収容所には千五百名位の同胞がいたが、昭和二十三年五月頃になつて、ソ連側から反動分子とみられていた八名の将校が、二、三日おきに一人ずつ順次収容所からハバロフスク方面に移され、被告もその八名のうちの一人であつたこと、その後の被告の消息は沓としてわからないが、右八名の者はまだ一人も復員していないこと、しかし、被告が死亡したと思われるような資料はなにも

ないことをそれぞれ認めることができる。右の事実は、民法第七七〇条第一項第三号の離婚原因に形式的には該当するけれども、甘粕証人は被告は現在なおハバロフスク附近で受刑中であると思うと証言しており前示甲第三号証によれば、神奈川県民生部世話課も同様の判断をしているのであるから、被告は何時無事に帰還しないとも限らない状態にあるものと考えるのを相当とする。固より当裁判所は、妻である原告の立場を考えぬではないが、自己の責に帰しえない事由によつて抑留生活を送つているかもしれない夫の困苦を察せず、無事に帰還する公算があるのを無視して離婚を求めるのは、同条第二項により許されないものと謂わなければならない」（横浜地小田原支昭二六・九・二九下級民集二・九・一一六〇）。

【3】の判決は、五人の未成年者の福祉と、健全な家庭生活の継続に対する被告（妻）の熱意をくんで、被告の不貞行為にもかかわらず婚姻の継続を相当と認めたもので、妥当である。一九四六年のドイツ婚姻法四八条三項は、「婚姻から生れた未成年の子の福祉が婚姻の維持を要求するときには、離婚請求は許されない」旨を規定するが（これは一九三八年のナチス婚姻法には無かつた規定である）、日本の判例にしろ、ドイツの立法にしろ、婚姻締結によつて引受けられた責任を考慮したものといえよう。

【5】の判例は、ソ連に抑留された被告の消息が、三年以上分らないことを三号の離婚原因に該当するとしておきながら、無事に帰還する公算があるとして、二項を適用したもの。三号の原因ありとした請求を棄却した結果には賛成であるが、被告の生存が推定される場合には、厳密な意味での「生死不明」は存在しないのであるから、二項適用の前提となつている三号による処理は不適当だと思う（中川他「親族・相続法」ポケツトコンメンタール八九頁）。

問題は、【4】の判例である。二項の地位をどのようなものとみるにせよ、新法には文字通りの意味で絶対的離婚原因と呼ばれうるものは存在しないのであるから、不貞行為を理由とする離婚請求も、裁判官の裁量で婚姻の継続を相当と認める場合には、それを棄却できることはいうまでもない。「婚姻の継続を相当と認める」というのは、換言すれば婚姻の本質に応じた共同生活の回復を可能とみることにほかならない。婚姻の本質に応じた共同生活とは、夫婦が平等の立場で協力扶助し合う生活をいうのであつて、夫に力を与えて妻をひつぱつて行かせることを意味しない（六の一参照）。

その性短気粗暴、賭事を好み、女癖の悪い夫、それに愛想づかしをして離婚を求める妻。このような場合に、夫に力を与えて妻をひつぱらせるなら、あるいは婚姻生活の回復は可能であるかもしれないが、これはもはや婚姻の本質にふさわしい共同生活と呼ぶに値しない。この事案では、右の意味で婚姻の本質に応じた共同生活の回復は客観的にみて不可能であり、婚姻の継続を相当と認めることは到底できない。というべきである。

この判決は、主体として男後生楽の色調が強いが、その底には、父権家族とその基礎をなす私有財産擁護の感情がある、と想像される。妻は、四八万相当の金品を持出しており、そのうえ一二〇万円の財産分与を請求した。夫は、私有財産の分割・分散をおそれた。判決は、このような夫の真意を取上げ、それを国家権力で補強したのである（中川善之助「ある離婚判決への疑問」法時二八巻四号四六〇頁）。要するに、この事案は二項を適用すべき場合でなく、この判決は二項の父権的濫用である。

（二）　二項の適用を拒否した例

【6】　被告（妻）が小屋の中で同村の男と密会しているところを原告によつて発見された事案。

「果して然らば、被告が三十三歳から十三年間も他の男と肉体関係を続けていたことは民法第七百七十条第一項第一号にいわゆる配偶者たる妻に不貞な行為があつたことに該当し、たとい、原告がその最後の関係を発見し、この度一回のみとの被告の言を信じてこれを宥恕した事実があつてもこれにより原告と被告との間に愛情が復活し、将来円満なる婚姻が継続し得られるとは思われないから同条第二項により婚姻の継続を相当として離婚の請求を棄却することはできない」（津地昭二五(タ)一一号昭二六・四・三〇）。

【7】　被告（妻）が、腸チブスの罹患を誘因として発病した精神分裂症にかかつており、「幻聴妄想によつて行動し意思感情は鈍麻して自発性に欠けるが一方衝動的であり、正常な判断力もなく家庭生活の可能な状態になるまで治癒することは殆んど不可能な状態にある」場合。被告は、離婚によつて帰るべき実家も、頼るべき親族もないとして、二項による請求棄却を求めた。

「以上認定の事実に従えば、原告には民法第七百七十条第一項第四号にいわゆる配偶者が強度の精神病にかかり、回復の見込がないという離婚事由のあることが明白である。そこで右事由のみを以つて直ちに原告と被告との離婚を認めて然るべきかどうかについて考えて見るに、原被告各本人訊問の結果及び口頭辯論の全趣旨によれば、被告は原告との離婚によつて復籍する実家もなく扶養を求める親族といつても長女千鶴子と実兄一人を除いては他に適当な縁故者もない状態であり、右千鶴子はまだ若年であるうえに病弱であつて独立生計の見込もなく、唯一人の実兄も新潟県に居住していて親戚としての交際も疏遠であり、被告を引取つて扶養すべき資力があるかどうかも不明であるが、しかし一方原告は三重県林務課に勤務する一俸給生活者であつて現在の家屋一戸を除いては他に恒産もなく、到底出費の多い被告の長期の療養にも堪え難いのみならず、約四年の長きに亘る被告の看病のため心神の苦悩多く、これがため勤務先における職務の遂行も妨げられ勝ちで、この儘推移すれば或は退職の止むなきに至るやも計られないばかりでなく、原告の唯一の娘千鶴子も修業途上の学校を止め、被告の看護につとめてきたがこれ亦心労と運動不足のため健康を害し病院に通う有様であつて、もはや原告においても被告の治療に事欠く状況にあること、従つて現在原告としては寧ろ被告と離婚するにおいては被告のために社会保護施設を利用して療養させる可能性もあり、かくては原告自身も、道義上の責任を以つて被告の今後の生活の維持に尽力すべく決意していることが窺われる。しかしながら原告をしてこれ以上被告との婚姻の継続を強いることは些か苛酷であつて救済離婚を認めた民法の趣旨にも反するものといわなければならない。尤も回復の見込のない精神病にある被告の不幸については同情に堪えないものがあるが、原告の道義的な責任に期待し適当な社会保護施設を利用するにおいては却つて被告の今後の療養と生活は維持されるものと思料する」(津地判昭二七・一〇・二二下級民集三・一〇・一四九〇)。

【6】の判決で問題とされた宥恕は、旧法ではその八一四条二項によつて離婚請求権消滅の効果を与えられたが、新法ではこの規定は削除され、二項がこれに代つた。しかし主観的な宥恕は全く意味を失つたというわけではなく、客観的破綻の程度を判定する一つの材料になつたのである。だから【6】の場合に、かりに最後の関係に対する宥恕が関係全体に対して意味をもつとしても、宥恕があつたから直ちに二項を適用して請求を排斥するということにはならないのであつて、宥恕があつても客観的破綻はなおかつ高度であるとして、請求を認容することもできるわけである。

【7】は妥当、同旨の判決もある(【50】)。

二項の適用について、立案者はつぎのように説明した(第一国会司法委員会における奥野政府委員の答弁)。「かりにその例は適当であるかどうかわかりませんが、形式的に不貞な行為ということならば、かりに旅先等で何か間違いがあつたというような形式的なことでも、やはりこれにはいるというようなことになるのでありますから、そういう場合にはいろいろの事情を斟酌して、そこはやはり婚姻を続けていつた方が適当ではないかというように裁判所が認める場合、形式的には一号がこれにはいつても実際上の実情を汲んで婚姻を継続せしめる方がよろしいと思う場合には、その請求を排斥することができるというゆとりをとつたわけでありまして、これは一方現行法（旧法）の八百十四条ないし八百十八条等でたとえば相手方が同意をしておつたとか、そういうようなときに離婚の訴訟が起し得ないというようないろいろな、訴えを起すことを許さない場合を規定しておりますが、それらの規定は全部削除いたしまして、それにかえて、この弾力性のある第二項を設けまして、この法律上の第二項で、そういつたような事情がある場合においては、むしろ第二項の規定の活用によつて請求を棄却して、言いかえれば出訴が許されないというような、現行法において出訴を許さないというような規定をしておる事情があれば、そういう請求を排斥することができるという、そういう関係もあつて、第二項というものを設けたわけであります」（前掲「民法改正に関する国会関係資料」一五一頁）。

つまり、一方では形式的に一号から四号に当る振舞がある場合に、実質的にみてなお婚姻の継続を相当と認めるときには、二項によつて請求の棄却ができる、と説きながら（男子委員の多い司法委員会で原案の成立をはかるとの政治的意図を別にして考えれば、右の例は全く不適当である）、他方では旧法に個々的に規定された離婚請求権の消滅事由、たとえば八一四条の同意・宥恕、八一五条の相互責任、八一六条の時効、八一七条の生死分明などを二項にまとめた、というのであるから、これらの事由は、結局新法では、婚姻の継続を相当と認めるかいなかを判断する際の材料の地位に落されたことになる。

しかし右に挙げた判例には、旧法の消滅事由を当否判定の主な材料とした例はない。かえつてこれらの判例は、客観的破綻の程度とそれに対する倫理的責任とに焦点を合わせながら、旧法にとらわれることなしに、すべての事情を考慮して、婚姻継続の当否を判断しているものといえよう。いくつかの判例に共通するこのような態度は、妥当であり、むしろ旧法の事由を材料とする場合には、新法の原理にそつた、慎重な検討が必要だ、と思われる（我妻・立石前掲書一五〇頁）。旧法の規定で、二項による請求棄却にそのまゝ使用しうると思われるものは、三年以上生死が不明の場合でも、生死が分明となつた後では離婚を求めえない旨の規定ぐらいのものであろう。

四　離婚法の倫理性

離婚法の領域におけるほどすべてのことが妥協的解決にもちこまれているところはない。ここではいくつかの価値観が鋭く対立し、個人的利益と公共の利益とが抗争しながら共存している。一方には自由な個人主義があつて、「愛情」に優位を与え、配偶者の意思や感情に立ち入つた考慮を払うよう促す。しかし婚姻不可解消の原則を擁護するのは、啓示や教義を尊ぶキリスト教だけではないのであつて、公共の利益も、配偶者の意思を越え、倫理的目的に奉仕するところの「制度」としての婚姻を維持するよう要求する。この矛盾の前に立たされた近代の立法者は、自由な個人主義の要請を重大な事由がある場合にだけ考慮する、という妥協的解決に到達した（Lehmann, ibid S, 134）。

法社会学的にみれば、このことは私有財産制度の面で理解することができる。一方「近代的私有財産の基礎の上では『自由な人格』という価値観が成立し、諸の民主主義的価値とともに結婚においてもまた愛情を中心とする価値（『結婚の幸福』marital happiness）が発生した。」このような価値観のもとでは、愛情のない結婚の継続は、かえつて反倫理的だ、とされる。しかし他方「私有財産制度の基礎の上では人間の生存は私有財産によつて支えられるのが原則であり、したがつて結婚は、私有財産による生存の保障を夫と妻とで分ちあう制度であり、また子の養育（精神的および肉体的）の保障を親の私有財産と結びつける制度である。」現実の問題として結婚が夫婦と子の生存の基礎となっている限り、結婚は制度として維持されなければならないであろう。裁判官は、つねにこのような二つの価値観の対立の前に立たされており、その妥協的解決を迫られている。（川島武宜「家族と法」（「新しい家族」現代家族講座I所収）一六八頁以下）。

（二） 自己の行為（作為）により婚姻が破綻した場合。

【8】 当事者は昭一二年八月結婚、昭一八年三月一日婚姻届。その間昭和一三年から一六年まで控訴人夫X応召。昭二一年七月頃Xは訴外清水笑子と情交関係を結び同女妊娠。Xと被控訴人妻Yとの間には子がないため、夫婦間疎遠となる。昭和二二年三、四月頃、YはXに笑子との関係を絶つよう要求したが、Xがこれを拒絶したため口論となり、YはXに暴言をはいたり、Xをほうきでたたいたり、出刃庖丁をふりまわしたり、頭から水をかけたり、靴を便所に投げこんだりした。その後X家出、笑子と同居、離婚の意思を表明した。昭和二二年六月X・笑子間に男子出生。

「右第七七〇条第一項第五号において「その他婚姻を継続し難い重大な事由があるとき」というのはその第一号乃至第四号においてその事由を例示するとおり、社会観念からみて配偶者に婚姻生活の継続を強いることがひどすぎるといわなければならない程婚姻関係が破壊せられた場合を指すのであつて、その例示する第三号第四号の事由をみても明らかなように、必ずしも離婚を求められる配偶者の責に帰すべき事由であることは要しないけれども、婚姻関係の破壊が主として離婚を求める側の配偶者の一方の責に帰すべき事由に基く場合を包含しないものと解するを相当とする。自己の責に帰すべき事由によつて婚姻関係の破壊をもたらしながら、これを離婚の訴の原因とするようなことは信義誠実の原則によつても許されないものといわなければならない。本件において控訴人被控訴人の夫婦間に不和を生じ別居するに至つたのは、控訴人が婚姻外で女と情交関係を結んでその間に男子を儲けこれと同居するようになつたためであることは、前に認定したとおりであるから、婚姻関係の破壊をもたらしたのは主として控訴人の責に帰すべき事由によるものといわなければならない。従つて新民法第七七〇条第一項第五号に基く控訴人の本訴請求も採用できない」（大阪高昭二四・七・一民集六・二・一一九）。

【9】【8】の上告事件。Ｘ上告。

（上告理由）　第二点　七七〇条五号の法意は「離婚することが却つて当事者の将来の幸福を招来するであろうと客観的に推量できる事情ある場合を言ふのであつて、其の障害発生の責任者が何人であるかは問ふ所ではない。……だから深く離婚を容認すべきであるのに原審はこれに反した判決をしたのは違法である」。第三点「本件では婚姻関係の破壊をもたらした原因は上告人（夫）の不貞行為にあつたとしても、これに対する被上告人（妻）の言動は前述のように行き過ぎたものであり、つまり両者の行動が夫々原因となつて婚姻の破壊を醸したものである。斯様な場合に上告人からこれを理由に離婚の訴を提起するのは何等信義則に反することではない」。第四点「凡そ民事裁判は当事者乃至は社会に協力するもの換言すれば何等かの実益をもたらす解決でなければならない。然るに……原審のように婚姻の継続を宣言してみてもこれがため当事者相互の愛情を取戻し二ケ年以上の別居から急に夫婦としての同棲が開始する訳でもない。……更に不幸なことは実の伴はぬ本件婚姻が形式的に継続することによつて上告人と前記清水笑子との事実上の夫婦関係はいつまでも所謂内縁関係に止まることであり其の間の儲子は嫡出でない子として肩身狭く過せられることである。又一方被上告人も上告人の妻たる身分を有つて居る以上自由な行動が制約せられ恐らく何等かの理由でいつかは上告人との婚姻解消の手段をえらばなければならないであろう。このやうに原審判決は何等の実益のない否却つて当事者又は関係人を益々不幸に陥入れる悪結果を生ぜしめる」。

（判決理由）　「論旨では本件は新民法七七〇条一項五号にいう婚姻関係を継続し難い重大な事由ある場合に該当するというけれども、原審の認定した事実によれば、婚姻関係を継続し難いのは上告人が妻たる被上告人を差し置いて他に情婦を有するからである。上告人さえ情婦との関係を解消し、よき夫として被上告人のもとに帰り来るならば、何時でも夫婦関係は円満に継続し得べき筈である。即ち上告人の意思如何にかかることであつて、かくの如きは未だ以て前記法条にいう「婚姻を継続し難い重大な事由」に該当するものということは出来ない。（論旨では被上告人の行き過ぎ行為を云為するけれども、原審の認定によれば、被上告人の行き過ぎは全く嫉妬の為めであるから、嫉妬の原因さえ消滅すればそれも直ちに無くなるものと見ることが出来る）上告人は上告人の感情は既に上告人の意思を以てしても、如何ともすることが出来ないものであるというかも知れないけれども、それも所詮は上告人の我儘である。結局上告人が勝手に情婦を持ち、その為め最早被上告人とは同棲出来ないからこれを追い出すということに帰着するのであつて、もしかかる請求が是認されるならば、被上告人は全く俗にいう踏んだり蹴つたりである。法はかくの如き不徳義勝手気儘を許すものではない。道徳を守り、不徳義を許さないことが法の最重要な職分である。総て法はこの趣旨において解釈されなければならない。論旨では上告人の情婦の地位を云為するけれども、同人の不幸は自ら招けるものといわなければならない。妻ある男と通じてその妻を追い出し、自ら取つて代らんとするが如きは始めから間違つて居る。或は男に欺された同情すべきものであるかも知れないけれども少なくとも過失は免れない。その為め正当の妻たる被上告人を犠牲にすることは許されない。戦後に多く見られる男女関係の余りの無軌道は患うべきものがある。本訴の如き請求が法の認める処なりとして当裁判所において是認されるならば右の無軌道に拍車をかける結果を招致する虞が多分にある。論旨では裁判は実益がなければならないというが、本訴の如き請求が猥りに許されるならば実益どころか実害あるものといわなければならない。所論上告人と情婦との間に生れた子は全く気の毒である、しかし、その不幸は両親の責任である。両親において十分その責を感じて出来るだけその償を為し、不幸を軽減するに努力しなければならない。子供は気の毒であるけれども、その為め被上告人の犠牲において本訴請求を是認することは出来ない。前記民法の規定は相手方に有責行為のあることを要件とするものでないことは認めるけれども、さりとて前記の様な不徳義、得手勝手の請求を許すものではない。原判決は用語において異る処があるけれども結局本判決と同趣旨に出たもので、その終局の判断は相当であり論旨は総て理由なきに帰する」（最判昭二七・二・一九民集六・二・一一〇）。

【10】控訴人（夫X）・被控訴人（妻Y）は昭和一四年一一月結婚、同一五年八月二七日婚姻届。九月長

女久子出生。同年一〇月X応召、二〇年一一月復員し、Yの実家に同居。同二一年三月Yは放浪性あり、かつ非衛生、怠惰であるとして、XはYのもとを去り、爾来別居。昭和二三年一二月Yの申立により同居の審判がなされたがX従わず。Yはそこで扶養料並びに教育費の調停を申立て、成立。その趣旨によりXは一時金一九、〇〇〇円と月々二、〇〇〇円（後に二、五〇〇〇円）を支払ってきた。昭和二六年一月Xは富田静江と同棲。

「控訴人は凡帳面な性質であるのに被控訴人はそうでないところから、被控訴人の欠点が誇張されているものと解せられ、……被控訴人は掃除、洗濯その他日常の家事につき主婦としての務についても取立てていう程のこともなくいわば平凡な主婦であつたことが認められるから、被控訴人に控訴人主張のような欠陥が多少あつたとしても、そのことのために婚姻を継続し難い重大な事由となる程度のものではないと断ぜざるを得ない」。

「控訴人は、被控訴人と夫婦生活一年ならずして応召し、七年間の空白時代を経て昭和二〇年一一月頃復員し、被控訴人の実家で再度夫婦生活を始めたが僅か四カ月で被控訴人の許を立ち出たことは冒頭認定の通りであつて、本件当事者の夫婦生活は前後を通じ一年余りにすぎず、しかも、その間七年間の別居生活があつたのであるから、控訴人としては、被控訴人に不満があつたとしても、子供もあることとて今暫くの間、円満な夫婦生活を営むよう努力すべきであるにかかわらず、その適切な証拠はなく僅か四カ月にして被控訴人の許を飛出したことは軽率のそしりを免れざるのみか、被控訴人との離婚につき解決策をはかることなく、他の女と同棲するにいたり被控訴人の復帰を困難ならしめる如き事態を自ら招来しながら同人との婚姻を継続し難い重大な事由がありとなすことは法律上許されないところである。控訴人としては、同人が当審における本人尋問で供述している如く、貞節の押売は有難迷惑だというのが現在の偽らざる心境であろう。しかし、それだからといつて、被控訴人の意思を無視して控訴人の都合だけで裁判上離婚の請求をすることは理由がなく本訴請求は失当として棄却するのほかはない」（広島高岡山支部昭二九・一一・一三民集八・一一・二〇三二）。

【11】【10】の上告事件。X上告。

（上告理由）　第一点　「民法第七七〇条第一項第五号に所謂「その他婚姻を継続し難い重大な事由があるとき」とある離婚原因は、必ずしも離婚を訴える者に欠点なく、相手の配偶者に欠点ある場合のみに限定されるのではなくて、客観的に見て婚姻を継続し難い重大な事由のあるときの一切を含むものと解すべきである。……原判決は此将来永久に上告人の復帰の可能性がありや否やについての審理考究を尽くすともなく、却て暗に到底其の可能性のないことを肯定しながら、なお被上告人の希望のみに重きを置いて上告人の主張を排斥していることは全く別居発端の事情にとらわれて、現在の実態を無視し、牽いて右法条の解釈を誤るに至つた違法がある」。第三点　「夫婦間の事は感情極めて微妙で、同棲する当事者には局外者が取り立てて言う程でもない相互の多少の欠陥が、甚だ堪え難いものである場合も少しとしない。世上一般に「夫婦の性格の相違」などとして軽く扱われるものが斯様の場合に当ることが多いのであつて、表面荒立つた争いはなくても同居生活に堪え難い場合もあるし、朝夕喧嘩が絶えないのに夫婦生活が続けておられるものもある。裁判所は離婚事件については特に此の様な点を重視して勘案しなければ、形式的な審理に堕し真の裁判は出来ない。原判決が本件当事者の如上の性格の相違と、其の夫婦生活に及ぼす影響の重大さなどについて慎重の考慮を欠き漫然上告人の主張を排斥しているのは、実験則を無視し、審理不尽の違法あり」。

（判決理由）　「原判決の認定した事実によれば、本件当事者は昭和一五年八月婚姻をした夫婦であるところ、上告人は昭和二一年三月頃被上告人を嫌つてそのもとを立ち去り、爾後引き続き別居して同居を肯ぜず、その間昭和二六年一月頃には富田静江と事実上の婚姻をなし、現にこれと同棲しているものであり、一方被上告人には、多少の欠陥はあつても取り立てていう程のものではなく、同人はひたすら上告人の復帰を期待して貞節を守つているというのであるから、仮に所論の如く本件当事者間の婚姻関係の継続が事実上困難になつているとしても、そのようなことになつたのは、もつぱら上告人の行為に基因しているといわなければならない。かくの如く、民法七七〇条一項五号にかかげる事由が、配偶者の一方のみの行為によつて惹起されたものと認めるのが相当である場合には、その者は相手方配偶者の意思に反して同号により離婚を求めることはできないものというべきであるから、論旨はこれを採用することができない」（最判昭二九・一一・五民集八・一一・二〇三三）。

【12】　原告（夫X）・被告（妻Y）は昭三年一一月結婚、同四年四月二二日婚姻届を出す。翌五年三月長男敏雄出生。しかしXは訴外渡辺茂（女）と知り合うようになつてからYとの折合悪く、昭九年一二月二八日ついにYのもとを去つた。

「おもうに、婚姻生活は、男女の本質的平等に立脚して、相互の深い愛情と理解によつて結ばれ互に協力してこれを維持して行かなければならないのであつて、長い婚姻生活の中には、或は意思の疏通を欠き互に不満を感ずることもあろうが、かかる事態に立ち到つたときは、相互にその障碍を克服する様最善の努力をすべきであり、一時和合を欠くことがあつても、配偶者の一方が他に異性を求めて、これと同棲し、婚姻生活の破綻を招来するが如きは許されず、これがため、夫婦関係が有名無実に帰するも自ら招いた結果であつて、これを理由に離婚を求めないものといわなければならない」（横浜地昭二五・一一・七下級民集一・一一・一七六九）。

【13】　【12】の上告事件。二審は東京高等裁判所昭二七年一月三一日判決。X上告。

（上告理由）「本件の如く事実上の離婚以来永年の歳月を経た場合は、社会は久しきに亘り右離婚を正常視し、之に基き幾多の新秩序を形成して来る。近代法が占有制度、時効制度を認めて、現に形成されて居る社会秩序を其のあるが儘に維持しようと努力して居る趣旨は今更論ずる迄もない。……原審判決は「原告が右の如く妻たる被告を顧みず、他に女性を求めて、これと同棲することを正当として認容し得るが如き事情が存する事は之れを認むべき証拠が無い」として、一九年前の離婚原因を明確にする証拠の提出方を上告人に要求して居る。而も之れを認むべき証拠なしとして、二〇年に垂とする長年月営々として築いた社会的、経済的、親族的秩序乃至基盤と平和な家庭を根本から破壊し、昭和初期の旧秩序に復元しようとして居り、其の害悪の波及する処絶大にして、益する処絶無である。決して、一編の空想判決として看過出来ない……。要するに原判決は、民法第七七〇条第一項第五号の解釈適用を誤りたる違法ありと謂わなければならない。」

（判決理由）「原審の認定した処によると上告人は何等相当の事情もないに拘らず、他に情婦を持ち妻たる被上告人を遺棄して情婦と同棲し、これにより夫婦生活の破綻を生じたのであつて、右破綻は一つに上告人の右背徳行為に基因するものである。民法第七七〇条第一項第五号は相手方の有責行為を必要とするものではないけれども、何人も自己の背徳行為により勝手に夫婦生活破綻の原因をつくりながらそれのみを理由として相手方がなお夫婦関係の継続を望むに拘わらず右法条により離婚を強制するが如きことは吾人の道徳観念の到底許さない処であつて、かかる請求を許容することは法の認めない処と解せざるを得ない。されば原判決も結局右と同趣旨に出たものであつて正当であり論旨は理由なきに帰する」(最判昭二九・一二・一四民集八・一二・二一四三)。

【14】　控訴人（夫Y）被控訴人（妻X）は大正三年一二月結婚、同五年三月二九日婚姻届をした。YXは一男五女（うち女三人死亡）をもうけ、事業の成功によつて東京で豊かな生活を送つた。Yは昭和六、七年頃、神奈川県で病気療養中附添看護婦と情交関係を結んだが、このため夫婦関係がただちに破綻するようなことはなかつた。しかし昭和一九年一一月新潟県の郷里に疎開後は、Xと五女スガが不慣れのため芋苗の植付けに手間取り帰宅が遅れたことをとがめて、YがXを殴打したり（二〇年六月）、Xが「実家では一本五〇円の鯖三本も買つて食べている」といつたところ、「ぜいたくを言う」とてYはXを引倒して殴打、足蹴にしたり（二二年六月）、またXが「Yばかり金を使つていて京子（二女）やスガをかまわない、同人らの縁談が調わないのはYが余りに功利的に扱うためである」とYを責めたので、Yは激怒し、戸外に逃れ出ようとするXを引きずり込んで数回殴打、ためにXは加茂村の医師の治療をうけた（二三年三月）、などの事件がつぎつぎと起つた。Xはこのような虐待に耐えられず、長男秀一郎の東大病院での精神病治療の目的をも兼ねて、Yに無断で上京、Yと別居、Yから何回となく奴奈川村に帰つて同居するようすすめられても絶対にこれに応ぜず、かえつて離婚調停を申立てた。調停は不成立。一審X勝訴、Y控訴。

「前記証拠からして本件当事者がこのようなことになつたのは、被控訴人が二十数年前に起きた控訴人の婦人関係を根に持つてことある度にこれを言い立て控訴人の古傷に触れるようなことをして徒に控訴人の感情を刺戟する態度のあつたことも察せられるのであるが、控訴人側では精神病者の男子を抱え、縁遠い娘達のために悩む母親に同情を欠き些細のことに屢々暴力を振い、前記のような事件を起したので被控訴人としては全く感情上控訴人を嫌悪し円満に行かないようになつてしまつたものと認めざるを得ない。……以上の次第であるから、婚姻を継続し難い事由があるものとして、控訴人との離婚を求める被控訴人の本訴請求は、正当として認容すべきである」(東京高昭三〇・四・二七 民集九・一二・一八五〇)。

【15】【14】の上告事件。Y上告。

(上告理由)　第二点　「例ヘバ芋苗ノ植付作業ノ為メニ時刻ガ多少遅レタリトテ通常ノ時世ナラバ怒ル筈モナク又怒ラルルユワレモナキモノナルモ当時ハ疎開者ニ対スル一般農家ノ観察方ガ悪ルク為メニ嫌疑ヲ受クルコトアルヲ怖レテ注意ヲ促ガシ置キシモノヲ帰ル時刻ノ遅延ヲサレタノデアルカラ最大ノ注意ヲ与ヘタ処ガ被上告人ハ済マナカツタト一言デ事ガ終ルノニ上告人ニ対シ芋苗二束ヲトラツクカラ掠メ来タデハナイカト言ハレタノデ其言動ヲ怒リ被上告人ヲ毆打シタリ。又生鯖ノ場合モ被上告人ハ上告人ヲリンショクト罵リタルニ起因シ上告人ヨリ手ヲ出シタルモノニ非ズ。要之ニ被上告人ノ本訴ノ離婚原因トスル事体被上告人ノ意中ヨリ出タル誘因行為ヨリ起因スルモノナレバ其一半ノ責任ハ上告人ニ於テモ負担スベキモノナレ共其大半ノ責任ハ被上告人ニオイテ負フベキモノナリ。果シテ然リトセバ自己ノ責任ニ於ケル行為ガ夫婦ノ生活ヲ破綻スル原因ヲ造リ上ゲタルモノナル以上之ヲ理由トシテ離婚ヲ請求シ得ザル筋合ナリトス。然ルニ原審ハ斯ル被上告人ノ有責行為ヲ看過シテ上告人ノ負フベキ部分ノミヲ捕ヘ以テ判定ノ資料ト為シ婚姻ヲ継続シ難キ重大ナル事由アリト判示シタルハ明カニ民法七七〇条第五項ノ解釈ヲ誤リタルカ然ラズンバ理由ニ不備アリト信ズ」。

(判決理由)　「原審が証拠によつて適法に認定した事実を総合すると、結局民法七七〇条一項五号にいわゆる〃婚姻を継続し難い重大な事由があるとき〃に該当する、と当裁判所でも判断することができる。原判決では被上告人側にもいくらかの落度は認められるが、上告人側にはより多大の落度があると認めているのである。かような場合に被上告人の離婚請求を認めても違法とはいえない」(最判昭三〇・一一・二四 民集九・一二・一八三七)。

【16】被上告人(妻X)は、大正五年一月訴外深津政蔵と情交関係を結び同棲。同一四年八月上告人(夫Y)は訴外小島アキと事実上の夫婦関係を結び、同一五年七月七日その間に女子出生。X離婚請求、勝訴。Y控訴、「婦タルニ於テ自ラ夫婦誠実ノ義務ニ背キ貞操義務ヲ遵守セズ縦ニ其ノ情夫ト共ニ出奔シ所生ノ子女ハ悉ク夫タルYニ養育ヲ一任シ家ヲ外ニスルコト数年ノ久シキニ亘リナカラ夫タルYニ対シ自ラ進テ離婚ノ請求ヲ

為シ得ヘキニアラス之レ社会ノ通念ニ照シ吾人ノ倫常ニ訴フルモ当然ノコトナリ」と抗弁。しかし、原審判決は「控訴人ノ抗弁ハ何レモ右認定ニ基ク本訴請求ヲ阻止スルニ足ラズ」と一蹴。Y上告。

「然レトモ夫カ妻ヲ顧ミス他ノ女ト内縁ノ契ヲ結ヒ之ト同棲スルノ行為ハ民法旧第八百十三条第五号ニ所謂重大ナル侮辱ニ該当スルモノニシテ他ノ女トノ同棲カ生活上ノ必要已ムヲ得サルニ出テタルモノナリヤ否ニ依リ軒軽ナキコトハ本院判例ノ存スル所ニシテ（大正七年(オ)第九百四十六号同年十二月十九日判決参照）而シテ原判決挙示ノ各証拠ヲ綜合考覈スレハ原審認定ノ如ク上告人ハ大正四五年頃ヨリ被上告人ト別居シ居リシカ大正十四年八月中訴外川島伝三郎ノ娠アキト婚姻ノ式ヲ挙ケテ内縁ノ夫婦関係ヲ結ヒ以テ今日ニ及ヒ大正十五年七月七日其ノ間ニ女子ヲ儲ケタル事実ヲ認メ得ヘキカ故ニ原審カ叙上ノ如キ上告人ノ行為ハ被上告人ニ採リテハ民法第八百十三条第五号ニ所謂配偶者ヨリ重大ナル侮辱ヲ受ケタルトキニ該当シ被上告人ニ於テ之ヲ原因トシテ上告人ニ対シ離婚ヲ請求シ得ヘキモノト為シタルハ洵ニ正当ニシテ縦令所論上告人ノ抗弁ノ如キ事実アルモ被上告人ノ本訴請求ヲ阻止スルニ足ラサルカ故ニ所論ハ凡テ其ノ理由ナシ」（大判昭四・三・一新聞二九七六・一四）。

【17】　原告（妻X）と被告（夫Y）とは、昭和一八年一月婚姻届を出し、翌一九年二月にはその間に長女洋子が出生した。同年秋一家新京に移転。昭和二〇年八月上旬ソ連の参戦によりXと洋子は平壌に避難、同二一年六月その父母のもと（松本）に無事引揚げることができたが、Y（関東軍特殊情報隊附将校）は終戦後ソ連に抑留され、シベリア方面で収容所生活を送ることになつた。しかし松本に無事引揚げることができたXもしゆうととの折合悪く、昭和二三年三月仙台の実家に帰つた。その後進駐軍に勤めているうちに訴外遠藤喜一と親しくなり、同二六年四月同人と事実上の結婚をし、翌三月その間に真理子が生れた。

「本件被告が、終戦以来、多年に亘つて、ソ連に抑留されて居て未だ帰還の可能性も時期も不明であることは、前記認定の通りであるが、従前のソ連抑留者の帰還の状況に鑑み、被告の帰還の確実であることは顕著な事実であると云えるから、前記理由によつて、本件原被告夫婦間の現実の結合関係は、未だ失われて居ないと云わなければならない。従つて、夫たる被告に右認定の事実があるからと云つて、離婚原因があることにはならないから原告は被告に対し、離婚請求権を有しない。故に妻たる原告は、夫たる被告の帰還を誠実に待つべき義務がある。……然るに原告は右義務を尽くすことなく、却つて自ら、自己の責任ある行為によつて、被告の母との折合を悪くし、之と同居し難くなり、その結果、実家に帰り、間もなく新たに夫以外の男子を得て、事実上の第二の婚姻をなし、之と生涯を共にすることを決意して、被告と婚姻関係を継続する意思を抛棄し、以つて被告との婚姻関係を実質的に破壊し去つて仕舞つたことが、前記認定の事実と、証人大和猛の証言並に原告本人尋問の結果とを綜合して認められるので、本件原被告間の婚姻の実質は、原告が自ら之を破壊し去つたものであると断じなければならない。……即ち、本件に於ける離婚原因は、被告に前記認定の事実のあることによつて生じたのではなくて、原告自身の手によつて、原被告間の婚姻の実質が破壊された結果として、発生したものであるとしなければならない。而して、斯る場合に於ては、被告は離婚請求権を取得するが、原告はそれを取得し得ないと解さなければならない」（東京地昭二九・八・一三裁時一六五・一二七）。

前掲の諸判例を整理すると、つぎのとおりになる。

(1)　判例法上、婚姻の破綻について原告が主として責任を負うべき場合には、離婚請求は棄却される、との原理が存在する（【8】ないし【13】）。私どももこのような原理による離婚の規制を、原則として承認する（二の）。「婚姻を継続し難い重大な事由」が、若い魅惑的な女性との性結合への自由、重荷となつた古くさい結婚からの解放をかちうるために道を拓いている、とするのは、法律の誤解である。結婚は、自己課題であり、責任の引受けである。結婚生活、結婚の幸福は、それ自身努力と苦しみを伴うものであり、これらに深い意味を与えるものであつて、このようなことは全体として結婚のときに引き受けられているとみなければならない。法律の保護は「責任を伴う真の自由の正しい恋愛」（谷口知平「愛情喪失・長期同棲廃止と離婚」民商二八巻五号二九頁）にだけ与えられるのであつて、離婚請求権の濫用は許さるべきではないからである（判例に賛成するもの―尾高都茂子「民法第七七〇条第一項第五号の『婚姻を継続し難い重大な事由があるとき』にあたらない一例」法協七二巻三号三〇六頁、沼正也「夫が情夫を持つたため妻との婚姻関係継続が困難となつた場合それだけで夫の側から民法第七七〇条第一項第五号による裁判離婚を請求しうるか」法新六一巻八号五七頁、青山「判例批評」判タ一九号六二頁、福地陽子「有責配偶者の離婚請求」民商三三巻四号一五二頁、赤崎ハツヨ「有責配偶者の離婚請求と『婚姻を継続し難い重大な事由』」民商三二巻四号六九頁、福島四郎「民法第七七〇条一項五号の法意」民商三二巻五号四八頁、中川善之助「有責配偶者と破綻主義」法学セミナー一号三六頁、太田武男「離婚原因の研究」一九二頁。判例に反対するもの――中川淳「婚姻の破綻と離婚原因についての所感」立命館法学一〇巻二七頁、大川正人「破綻主義と有責配偶者の離婚請求」阪大法学五号七六頁、高橋忠治郎「破綻主義における離婚の訴――特に有責配偶者の離婚請求について」専大論集一〇号四三頁。なお、加藤正男「結婚の破綻と離婚に関する最近の判例」同志社法学三三号六〇頁）。

(2)　婚姻の破綻について被告が主として責任を負うべきであるが、原告にも多少の責任がある場合には、原告にも多少の責任があるとの理由で、離婚請求が棄却されることはない（【14】【15】）。完全に無責な配偶者などというものは、実際上はナンセンスであり、聖人か気狂い以外には考えられない。だから被告側に多大な落度があれば、その反面原告側にも多少の落度があるのが普通である。前に論じたように（一の(一)）、離婚請求の棄却は、原告の責任が被告の責任よりも著しく重いということに結びつけられた効果であると考えられるから、このような場合は、原被告ともに重い責任がある場合（つぎの(3)場合）、原被告ともに軽い責任がある場合、被告が殆んど無責であり、原告に軽い責任があるにすぎない場合などと同様に、離婚請求を棄却すべきでないことになる。

(3)　原・被告が破綻について殆んど等しく重い責任を負うべき場合にも、原告にも重い責任があるとの理由で、離婚請求が棄却されることはない。判例（【16】）によると、原告自身の姦通は、被告の姦通を離婚原因とする離婚請求権の消滅事由にならない。とされるが、このことは重大な婚姻義務違反一般についてもいえることであろう。旧法（八一五）も相互責任を規定し、外国でも recrimination の制度を設けているところがあるが（福岡地昭三〇・一・一九下裁民集六・一・四六は相互責任を規定したニユー・ヨーク州法を適用し、原告にも姦通の事実あることを理由に、被告の姦通を離婚原因とする離婚請求を棄却した）、配偶者一方の過失はそれぞれ他方にとつてかけがえのない重要性をもつているのであるから、過失相殺を許すべきではなく、また一方の義務違反が他方のそれに対する特許状となるとの結果も認むべきではないからである（なお我妻・立石、前掲書一五〇頁参照）。

(4)　以上のように、離婚請求が棄却されるのは、原告が婚姻破綻について主として責任を負うべき場合に限られ、その他の場合には破綻主義の原則によつて離婚請求の認否が判断されるのであるから、判例は結局右のような制約のついた破綻主義によつている、といえると思う。

ところでこのような判例の態度は、破綻主義の系譜においてどのような位置を占めるであろうか。周知のように、相対的離婚原因を最初に規定したのは、一九一二年のスイス民法一四二条であつたが、そこには、「婚姻の著しい破綻について配偶者の一方が主として責任を負うべき場合には、他方だけが離婚を請求しうる」旨の規定が設けられた（同一四二II）。

スイス民法がこのように過失が破綻の要素となつているかいなかをなお問題としているのに対し、一九三八年のドイツ婚姻法では、少くとも三年以上の家族共同体の廃止を伴う婚姻破綻を理由とする離婚訴訟（同五五）は、基本的に過失から独立していることが明らかである。つまり婚姻の破綻が主として原告の責に帰すべき場合は、被告に異議権が与えられるが（同五五II 1文）、被告から異議が申し立てられたときでも、裁判所は両配偶者の振舞い全体を倫理的に評価して、異議にかかわらず、離婚の請求を認容することができるものとされたのである（同五五II 2文）。そしてこの規定の解釈としては、破綻による離婚が原則であり、異議の考慮は例外である、との見解が支配的であつた。拡大された離婚請求権は利己的目的に濫用されたときにだけ、否認されうるにすぎなくなつた（H. Silving, Divorce without fault. Selected essays on family law, p. 932)。

このような解釈はナチス崩壊を桟として大きく変化した。それまで例外的にしか考慮されなかつた異議が今度は原則的に考慮されることになつた(Lehmann, ibid., S. 141 f.)。しかし一九三八年法五五条の規定は、そのまま一九四六年の新婚姻法に受け継がれた(同四八条)。したがつて、スイス民法の場合と違つて、過失の問題は、被告側が主張すべき事項であつて、裁判所が職権により調査すべきものでないことは、三八年の婚姻法と変らない。

こうした傾向をヘレン・シルヴィングは、つぎのように要約する。「いろいろな国で生活観、政治的・社会的諸条件は根深い相違をみせているけれども、過失主義を制限する傾向が盛んである。このことは重要である。なぜなら、今日つかわれている基礎的なイデオロギーのあるものは捨て去られるとしても、この傾向は存続するであろうという信念を確信させてくれるからである。……人類が過去への志向をもつた過失主義から除々に遠ざかり、健全な人間関係の将来の形成のために協力するという、前を見る態度をとるであろうとの希望がある」(Silving ibid, p. 936)。

(5)　わが判例法は、右の系列においては、まさにスイス民法の位置まで行きついており、世界の趨勢は今後の一層の進歩を約束してくれるようにみえる。しかしこうした希望も、【17】のような判決が現れると一ぺんに消え失せてしまいそうだ。

この判決は、結婚は「終生の結合関係をその本質とするから」、妻は夫の帰還を誠実に待つべき義務がある。そうであるのに、原告は孤閨を守る苦しさに耐え切れないで他の男と関係して、婚姻を破壊してしまつたのは悪いことだ、と説いている。

右の判決は、二つの判例理論とつながりをもっている。一は、未帰還者の離婚は未帰還者が文字通り生死不明の場合にだけ認められ（【47】【48】）、その生存が推定される場合には、許されない（【5】【68】）、という下級審の判例が採っている理論であり、他は、婚姻の破壊に対し主として責任のある当事者は離婚請求ができない、という前記【8】ないし【13】の判決に示された理論である。これらの理論によれば、夫の生存が推設されるときは、夫が帰還しなくとも、婚姻関係はまだ破壊されないわけで、原告はまだ破壊されていない婚姻を不貞行為という自己の責に帰すべき事由によつて破壊し去つたことになる。この意味で、【17】の判決は従来の判例理論と一応調子が合つているようである。

さらにこの判決と比較されうるものに、未帰還者の被告に不貞行為があつても、その理由だけでは離婚が許されない、という下級審の判例がある（【33】【34】）。これは戦後混乱期の外地といつた特殊な環境では自由意思による貞操の保持を期待することが困難だと考えられたためである。したがつてもし戦後混乱期の内地は外地と大して変らなかつたとみることができるならば、逆に原告に不貞行為があつても、離婚は認められることになる。しかし【17】の判決は、戦後の内地を外地と同じように特殊異常な環境だとはとらなかつたわけである。

この判決に賛成する学者はこの点を立論の根拠とし、「戦後混乱期当時の内地における……妻の異性との関係行為を、恰も……当時の外地における特殊な環境のもとにおけるそれと同一視するが如きことは適当であろうか」と説く（太田武男前掲書二一五頁）。しかしながら、期待可能性の有無・高低を論じる際には、内地と外地という大きな環境の差だけに目をとどめるべきではなく、行為者が置かれた立場をもつとこまかくみてゆかなければならないと思う。

判決は、結婚は「終生の結合関係」だといつた。しかし相対的離婚原因や協議離婚を認めた立法のもとでは、もはやそのような考え方をとることは不可能である。継続性を問題とするかぎり、それは「多かれ少かれ継続的な結合」(ウエスターマーク)だといいうるにすぎない。それだけではなく、結婚は多く女性にとつて人間生存のデッド・ラインを形成していることを見落してはならない。

この事件の妻は、夫からの扶養の道を絶たれ、婚家も実家も頼りにならず、子供をかかえて生活と苦闘していた。職を求めれば、不安定で誘惑の多い進駐軍労務しかえられない。こうした立場におかれた職業能力のない女性なら、誰でも再婚とそれによる生活の安定とを求めるだろう。このような場合には、たとえ妻が不貞行為(事実上の再婚)に出たとしても、もはや妻をその違法行為のゆえに責めることはできない。つまり妻の行為は責任が阻却されるのである。

妻の側に避けることをえない再婚の必要がある場合には、合理的にみれば夫の側は離婚に応ずるものと期待されうるわけである。このような場合には、信義則は離婚を強制できるものと思われる。

この判例の場合には、婚姻が何によつて破壊されたかは重要な問題ではない。ソ連による夫の抑留によつて生じたとすれば、その時すでに離婚原因が発生しており(59参照)、その後の不貞行為は法的な意味をもたない。しかし抑留によつてではなく、不貞行為によつて生じたとしても、前述のとおりその責任をその当事者に向つて問いえぬものといわねばならず、この場合にも婚姻は無過失的に破綻したとみるべきである。前に論じたように(一の一の末尾)、主として責任を負うべき配偶者の離婚請求を許さない、という原理は、破綻主義に対する極小の制約であるべきであつて、このような原理の適用が婚姻の本質からみてかえつて倫理的に不当な結論を生む場合には、その適用を何等かの理論によつて回避するよう努めなければならない（判決に反対するもの―中川善之助「ソ連抑留中の夫との離婚訴訟事件」ジュリスト六八号二頁、川島・前掲書一六四頁、高梨公之「有責配偶者の離婚請求」日本法学二〇巻三号八九頁、判決に賛成するもの―太田前掲書二一五頁）。

（二）　自己の不作為により婚姻が破綻した場合

【18】　原告（夫X）と被告（妻Y）とは、人の勧めで昭和一八年三月結婚式を挙げ、X方でその両親とともに生活することになつたが、X方は三田村有数の旧家であり、その両親は封建的な家風を身につけていた。Yは道場村長の父と小学校教員の経歴のある、開放的性格の母との間で比較的自由に成長した。そこでXの母は日常些細なことでYに口やかましくいうのに対し、Yは忍従せず、反駁することが多く、また時に無断で実家に帰つた。「ところが、ひたすら両親に従順で、どちらかというと自己のうちにとぢこもるといつた性格の原告は、母を良き姑とし、妻を良き嫁として家庭を明るくするという一家の主宰者たる努力を払わないで」、母とYとの口論のたびにYを罵倒したり、暴行をしたりした。また長女出生（昭和一九年一月）以後、Xの母はYと別室に就寝するよう命じたが、Xはこれに盲従、妻の立場を無視した。そして昭和二二年はじめ頃からXは訴外糸山ひさゑと交渉をもち、同二四年四月「家風に合わぬ」との理由でYを実家に帰した。

「右認定のように原告と被告との結婚生活は現在破綻に瀕しているが、それは大部分原告の責に帰すべき事由に基くものであり、また原告は双方の性格が融和性のないものであると主張し、右の事実からもそのように疑われる節がないものでもないが、それは原告の両親や親戚の者達によつて起される雑音のために、あたかもそうであるかのような現象を呈しているだけのことであつて、似た者夫婦が必ずよいとはいえないのであるから、両者の性格が到底融和し得ないものであるとは速断し難い。ましてや被告は現在においても原告に対して切なる愛情を抱き良き妻、良い嫁となるべく自ら足りなかつた点を反省して原告方への復帰を待望しているのであるから、原告においても同様三省するならば、将来再び夫婦として結びつく見込がないとはいえない。以上いずれにしても、婚姻を継続し難い重大な事由があるとはいえないから、被告との離婚を求める原告の請求は、失当としてこれを棄却すべきもの」（神戸地昭二六・四・三〇下裁民集二・四・五九〇）。

【19】　被控訴人（X）の家には、その父母、長男庄平夫婦などが同居していた。控訴人（Y）はこのような環境にあつたXの後妻になつた（昭和二年七月）。しかしXの父が死亡すると、母・庄平などのYに対する態度が急に冷たくなり、二三年六月には庄平がYを殴打した。XYが食糧だけもらつて隠居所の方で別居するようになつた後も、家内の風波は絶えず、昭和二五年一月ごろ、自己の衣類が粉失したので、Yが駐在所の巡査に相談したところ、母・庄平などがXを呼びつけ、「家の者を泥棒扱いにするような者は家におけない」と申し渡した。Xは性格温和で、Yをかばうようなことはせず、ついに神経衰弱になつた。一審X勝訴、Y控訴。

「被控訴人と控訴人との婚姻関係が円満を欠くに至つたのは、同人等夫婦の間にその端緒が存したのではなく、同居の家族、殊に被控訴人の長男庄平夫婦と控訴人との間の不和確執が端緒となつてこれによつて次第に助長されたものであることが明である。思うに、被控訴人はさきに父庄助の隠居により家督相続をした者で家政の主宰者であつたのであるから、同居の家族と控訴人との間に不和確執を生じたについては、これを円満に納めるように配慮しもつて自己の婚姻関係の平和と維持に努力する責任があるものというべきである。しかるに被控訴人は、その性格温和ではあつたが、この点の配慮と努力に欠けることがないよう十分注意を払つた形跡はこれを認めることができず、却て長男庄平夫婦の控訴人に対する感情悪化の赴くままにして自己の婚姻関係にも亀裂を生ずるに至らしめ、しかもそのまま家政を庄平に委ね、ついにその婚姻関係の平和維持を困難ならしめるに至つたものであることが認められる。尤も一方控訴人も婚姻当初に比し次第に強情さを増し容易に妥協しなくなつたことが認められるが、これも結局被控訴人の右不注意に基因するにほかならないと認められる。かような次第で被控訴人との婚姻関係が現在において継続困難な事情にありとするもその基因は結局被控訴人の責任に帰するものであり、かような場合は被控訴人において自ら婚姻継続の困難な事情を主張して裁判上の離婚を求めることはこれを許さないものというべきである。これを要するに、本件においては裁判上の離婚原因たる婚姻を継続し難い重大な事由の存することは結局これを認めることができないものというべきである」(仙台高昭二九・二・二六下裁民集五・二・二五四)。

【20】 被控訴人(夫X)は元軍医、昭和二一年一月復員、九大外科教室で研究中。軍医学校在学中控訴人(妻Y)方を訪れ、Yを知り、二二年一一月X方で結婚式を挙げた。結婚式のときすでにXの母(継母)は、Yがもつてきた式服が質素だとケチをつけ、結婚取止めの騒ぎを起したが、一、二週間もすると、嫁をしつけると称してYを手許に置き、Xを通学に便なようにと大学の近くに別居させた。またYがラジオを聞き新聞を読むことを禁止したり、はては週末にXがよく帰つてくることにまで嫌味をいつたが、ついに翌二三年四月ごろからXに対して離婚を慫慂するようになつた。そこでXは八月ごろ親から仕送りをうけて、母の手許からYを引取り、Yと同棲することにしたが、同居しはじめるや母はただちに「Yを里帰りの名目で早く東京に帰せ、帰さなければ仕送りを中止する」と申入れた。一一月ごろYの父は娘可愛さの一念と姑の仕打へのウップン晴しから、ついにXの母を非難する手紙を出し、二百万円耳を揃えて出せば、XYに離婚を納得させるよう努力すると書いたが、Xの父母はこれを絶縁状であると痛憤した。Yは東京に帰つて、二四年三月長女を出産した。XはなおYに「父母の離婚強要は聞流してよい。米国に渡つてでも結婚生活を維持する」などといつていたが、同年五月結局姑の圧力に負け、父の外科病院の後継者という地位を捨てきれず「相互の幸福のため、離婚したい」旨を表明した。翌二五年四月には他人の斡旋でXYが会談したが、互に他人行儀で、物別れとなつた。また七月には、YはXの父母に対して、自己と長女の生活費・出産費など合計一八万九千五百円の送金方を求め、もし応じないなら法定手続をとる、との内容証明郵便を出した。

「以上認定した経過事実に徴すれば、本件婚姻の破壊をもたらしたのは控訴人が前認定のような家庭的立場にある被控訴人の妻として至らない点があつたかも知れないけれども、被控訴人の母春野の旧式な因習、思想に基く控訴人に対する当を失した措置が動機となつたことは否み難く、而してこれに対し控訴人の父隅三の執つた方法が直接の原因となつたもので、その目的動機はともあれ被控訴人の母の人格に対する侮辱であり軽卒の譏を免れず、帰するところは重大であるといわなければならない。転じて控訴人が被控訴人と婚姻以来今日迄とつた一連の行動は、さして批難に値する点は認められず、ただ被控訴人の父母に対し自己及び並子の滞京中の生活費等を要求し応じなければ法定手続をとる云々の書面を送つた点はいささか穏当を欠き、被控訴人の両親の忿懣を買うに至つたであろうけれども、これは被控訴人に於て当初の約束に反しこれらの費用を全く仕送りしなかつたことが主たる原因となつているので、その一半の責任は被控訴人にもあるものというべく、その全責任を控訴人のみに負わせる訳には行かない。又被控訴人についてみるに、自己の母と控訴人との間に立ち母を啓蒙して両者間の融和を図るための努力が未だ足りなかつた嫌はあるけれども、元来勝気な母であり被控訴人が如何に努めても或は無駄であつたかも知れないし、将来病院経営の任に当らなければならない立場上又経済上の理由もあつて、その両親を振捨ててまで控訴人との婚姻を継続することは到底求め得ないところであろうし、事ここに至つた責任を被控訴人に負わせるのも、又酷に過ぎるものというべきである。かようにみてくると、本件婚姻は当事者双方の責に帰せられない事由即ち被控訴人の両親（殊に母）と控訴人の両親との互に相容れない性格、思想に出でた対立相剋から、今日に於ては両者は全く融和し得ない状態に立至つたもので、たとえ被控訴人と控訴人とに婚姻の継続を強制しても、到底将来円満幸福な夫婦生活を続けさせることは望み得ないものといわなければならない。かような事情にある以上控訴人には気の毒であるけれども被控訴人との婚姻関係を速かに解消して新生活に入ることを期待し、被控訴人に対しては控訴人との婚姻を継続し難い重大な事由あるものとして、本件離婚の請求を認容する外はない」（福岡高判昭二七（ネ）五号　昭二七・七・七）。

【21】　原告（夫X）は母の手一つで成人し、意思が弱く、常に母さえよければという態度をとるのに対して、被告（妻Y）とXの母・叔母とはともに勝気で強情であり、売言葉に買言葉で喧嘩口論が絶えない。Yの発案で、若夫婦とXの母・叔母とが居室を別にし、のちにカマドまで分けるようになると、Xは面白くなく、夜は遅く帰宅し、ときには外泊することもあり、Yもそれにつれて外出勝になるが、ある時Yが些細なことでXの母・叔母と争いをしたので、Xはついに意を決してYを実家に帰してしまい、離婚を求めた。

「原告と被告とが同棲していた間の家庭の状況は概ね以上に認定した如くであつて、被告の言動は妻としての協力義務に著しく反するものと云わなければならないが、甲第五号証の二の記載及び証人井本謙四郎、木村彦三郎、原被告本人の尋問の結果を総合すれば、被告の悪口雑言は売言葉に対する買言葉として発せられ各種の暴行も亦その結果として行われたものが多いことを窺知することができる。従つて事をここに至らしめた責任を被告のみに負わしめることは相当でなく、当裁判所としては、その根本の原因は、上に認定した原被告及び原告の母と叔母の互に相容れない性格と思想から来た対立相克にあるものと判断する。然る上は、その解決の方法は離婚か、原告の母と叔母とから別れて暮す外はない。ところが原告は母親の手一つで成人したものであり、感情の上からも又経済的な理由からも母との別居を望まず、一方被告に対しては、前認定のような被告の行動に対しむしろ無批判に不満、憤を感じ、強く離婚を求めている（原告本人の供述による）。かかる事情にある以上原告と被告との間には婚姻を継続し難い重大な事由があるものと言うべく、原告の本件離婚の請求はこれを認容すべきである」（横浜地小田原支判昭二六・二・五下裁民集二・二・一二三）。

同居の親族との関係が原因となつて婚姻の破綻が生じた場合に、離婚を許すべきかいなかについては、裁判所の態度はまちまちである（〔1917〕否定〔2018〕肯定）。それは事件毎に事案の色合が異るという事情にもよるが、それとともに、あるいはそれ以上に、個々の裁判官の価値観の相違に由来するもののように思われる。

【18】の判決は、原告が「母を良き姑とし妻を良き嫁として家庭を明るくするという一家の主宰者たる努力」を払わなかつたことと、別の女と関係をもつたことの両者を原告の責に帰すべき事由とみて、それによつて婚姻が破壊されたと認めたものである。しかし他方「原告の両親や親戚の者達によつて起される雑音のため」当事者達が融和し難いようにみえるだけだ、と説いたところをみると、判決は、不貞行為よりも、むしろ不作為による婚姻義務違反を重視した、といえるから、この

判決は原告の不作為によって婚姻が破綻した場合にいれてよいと思う。【19】の場合には、被控訴人（原告）には不貞行為はなく、ただ不作為による婚姻義務違反だけが存在する。

婚姻義務違反が不作為による場合、あるいはもっと具体的に、婚姻の協力義務に反して第三者による婚姻干渉を排除しなかった場合でも、義務違反の配偶者が婚姻破綻について主として責任を負うべきときには、離婚請求は許されない、という原則を明らかにしたかぎりで、これらの判決は重要である（なお〔1〕をも参照）。

しかし、二つの判例とも、婚姻が破壊されたのは「一家の主宰者」または「家政の主宰者」としての努力が十分になされなかったからだとしている。この点は明確な誤りだと思う。第三者の干渉を排除して婚姻の平和維持に協力すべき義務は、断じて一家の主宰者たることによるものではなく、夫または妻たることに基くものである。たまたま夫または妻が一家の主宰者でないならば、婚姻維持の協力義務がない、とでもいうのであろうか。のみならず、「一家の主宰者」とか「家政の主宰者」という言葉には旧法の戸主といった臭いがある。ことに後者の判例は、恐らく不用意に、「父庄助の隠者により家督相続をした者」を「家政の主宰者」とし、「家政の主宰者」を旧法の戸主と同義異語に用いている。「一家の主宰者」の責任を強調すれば、「家」の復活強化をたすけることにもなりかねない。「一家の主宰者」とか「家政の主宰者」とかいう修飾は無用かつ有害であつて、これらの判決はもつぱら不作為による協力義務違反を理由とする離婚の禁止にだけ言及すればよかつたのだと思う。

右に述べた危惧のひとつは、判例【20】にただちに現れる。夫が姑の圧力に負けて、婚姻を続けてゆく気がなくなつて離婚を求めたのに対し、彼は父の大病院の後継者の地位にあるし、親からの仕送りで研究生活をつづけている者だから、つまり「一家の主宰者」ではないから、事ここに至つた責任を彼に負わせるのは酷に過ぎる、と説示されたのである。しかしながら「婚姻を継続し難い重大な事由」を家族制度的な追出し離婚を合法化するために使用するならば、その裁判官の価値観が古いというだけですまないのであつて、法原理の操作のうえで基本的な誤りを犯したことになる。いわゆる相対的離婚原因は、自由な個人主義を基調とするものであり、個人の意思や感情に対して立ち入つた考慮を求めるものである。家族主義的な感情、親の財産とひきかえに親のいいなりになるような態度は、個人主義への第一の関門、すなわち有責主義の一帰結によつてふるいおとさるべきものであり、そうした封建的な残滓を沪過して成立する自由な意思による離婚請求についてはじめて相対的離婚原因による処理が問題となる。有責主義、この場合には「何人も自己自身の非行を利用し得ない」(Nul ne peut se prevaloir de ses propres torts) との原則は、近代家族(いわゆる婚姻家族)形成の一拠点である。【20】の判決には反対である(なお我妻・立石、前掲書一四九頁参照)。

【20】の事案では、妻に「さして非難に値する点は認められない」が、【21】の場合にはそれが認められる。売言葉に買言葉であつたにせよ、「糞婆――今に見ていやがれ、もう五年も経つたらお尻をひねり上げてやる」「ミミズク――鬼婆――青鬼」「あんな婆に扶持あてがつて置くから増長するんだ」などと姑を罵つたとか、挙句のはてには姑の手をひつかいて血を出させた、というような姑に対する虐待・侮辱が妻にある(六の一、(二)参照)。しかし夫も姑を諫め妻をかばつて婚姻の平和維持を図るというようなことはなかつた。このような場合には、婚姻破綻に対する夫の責任が、妻のそれよ

りも著しく重いとはいえないように思う。つまり、この場合は、主として夫の責任によつて婚姻が破壊された場合にはあたらないから（一の一参照）、判決がこの理由で離婚請求を棄却しなかつたのは、結論として妥当であろう。

(三) 相手方に離婚意思のあることが明らかな場合

(1) 本訴を認容しながら、反訴を棄却した例。

【22】「被告が反訴で主張する離婚原因について考えると、以上認定の諸事情からみれば原被告が不和になり遂に別居生活するに至つた本来の原因は主として被告の不貞な行為から発したことは疑のないところであり、また原告等において種々手段を講じて被告に対し抗争することもその原因が右原告の不貞行為にあつた以上また或程度迄やむをえないところである。なるほど、原告の被告に対する態度には、いささかしつこすぎるところがあつたという感じを免れないかも知れないし、ここまで両者の対立が深まつた以上正常な夫婦生活を続けてゆくのは困難だとも考えられるが、それも被告さえその気になつて妾関係を清算し、妻以外の女との交渉をつつしめば、原告の態度もおのずからあらたまる性質のものであると考えられ、被告がその努力をすることは、義務として法律の期待するところである。そうすると夫婦生活に破綻を来した結局の原因が被告の行為にあり、その破綻をもとにかえす力と義務のある被告として、その破綻を理由に離婚を請求することはできないといわねばならない。従つて被告から原告に対し離婚をもとめる反訴請求は理由がない」（大阪地昭二九・四・六下裁民集五・四・五五四頁、本訴については〔26〕参照）。

(2) 本訴・反訴ともに認容した例。

【23】本訴については、被告（反訴原告）から悪意で遺棄されたものとして、離婚請求が認容された。

「然しながら、前段に認定した諸事情と双方口頭弁論の全趣旨とをあわせ考えると、原被告間の婚姻は事実上すでに破壊せられて、再建の見込も殆んどなく、しかも原告自らも離婚を求めている実情なのであるから、ことここに至つた責任は主として被告に存するとはいえ、婚姻を継続し難い重大な事由あるものとして離婚を求める被告の請求は、これを斥けるべき理由がなく、結局正当なものであるから、これを認容する」
（神戸地昭二六・二・一五下裁民集二・二・二〇二、本訴については〔41〕参照）。

【24】 家つき娘で昔風なしきたりのなかで我儘に振舞う母、婿養子で母を制することができない父、いたずらに父母に従順にのみすぎる被控訴人（被告Y）、しかしその嫁となつた控訴人（原告X）は、親と兄の許で比較的自由に新しい時代の空気を吸つて成長した。Xは、Yの母に「嫁まで自分のことを笑う、そんな嫁は家に置けない」、「もつと財産家から嫁を貰えばよかつた」などと罵られ、またYの母が「子供は伜の子供だが腹は借り物だから暇をくれといえばいつでも帰してやる」というと、Yまで「お前が帰るなら別れてもよい」と言い渡す始末。Yは長男がXの実家で百日咳に感染したといつて、Xの髪の毛をむしり、Xを殴打したこともあつた。Xはこのような環境にたまらず、実家に帰つて、離婚を求めた。Y反訴。本訴・反訴ともに棄却。XYともに控訴。

「従つてかかる状態を脱するためには被控訴人方のそれぞれが思いをあらたにして嫁たる控訴人の立場に十分の理解をもつてこれをあたたかく迎え、かつまた夫たる被控訴人においても控訴人をして被控訴人方の生活に耐えるだけ十分の庇護と愛情を措しまないか、さもなければ一時夫婦が父母と別居して日常衝突の機会を少くする等賢明な措置に出るべきものであつたが、前者はすでにその実績に照してとうていこれを期待することはできず、後者の措置もまた当審における被控訴人本人の供述によれば被控訴人の家計の状態をもつてしては経済的に不可能であるとしてこれをあえてする意思のないことが明らかである以上、打開は困難であつて、ひとり控訴人にのみ現状のまま忍従を強いることは相当でない。しかも本件第一審以後は訴訟提起後のやむなき勢いとはいえいよいよ両名の対立関係は激化し互いに相手を傷け合い、今日にあつては控訴人被控訴人のいずれもが婚姻関係を継続する意思のないことを明らかにしているのである。このような事情の下ではもはや両者の婚姻関係の継続を求めることは不可能を強いるものというべく、正に民法第七百七十条第一項第五号にいう婚姻を継続し難い重大な事由があるものと解するのを相当とする。このような事態に立ちいたつた事情は前記のとおり厚薄の差こそあれ控訴人被控訴人双方の側にあるとともに、そのいずれか一方のみの事情によつてしかるものとは解せられないが、いずれかの一方にその事情がなければ本件の破局にいたらないものとも云うべく、結局両者の事情が相互に、かつ他の事情と相競合して、その婚姻関係に破たんを来たさしめているものと認めるべきものであるから、両者の離婚を求める控訴人の本訴及び被控訴人の反訴はこの点につきともに理由あるものとしてこれを認容しなければならない」（東京高昭二八・六・一五高裁時報四・二・民五〇頁）。

【25】　控訴人（被告夫Y）は被控訴人（原告妻X）の氏を称する婚姻をした。婚姻後間もなく就職して給料をうるようになると、YはX方での生活にだんだんと不満を強くしていつたが、それはYの会社での作業が終日二、三貫のものを上下する重労働であり、相当に疲労して帰宅するのに婿養子扱いをされ、勤労の余暇にもしばしばリヤカーで遠くまで家業の商品を仕入に行つたり、農耕の手伝いをしたり、妻の父の腰をもまされたりして、家庭に十分な安息の場所を見出しえなかつたからだつた。こうしたことから生じたウップンをYはつぎのような形で表現した。箪笥の引出から金を出し二万円をポケットにしまい、その余りを「これは貴様らの食い扶持だ」と投げつけて家を出たり、Xの先夫との間の、当時四歳の覚が「お父ちゃん兵隊に行つて死んでしまいな」と言つたことに激怒し、食卓をひつくり返す乱暴をしたり、とうとう「こんなところに勤まれば、とんでもねえことだ、奴隷扱いだ」と暴言をはいて、実家に帰つてしまつた。控訴審はXの本訴、Yの反訴をともに理由ありとして認容した。

「かかる事態を打開するためには、控訴人としてはその不満をいたずらに内攻蓄積して時あつて粗暴の行動に爆発させる様なことなく、さらに謙虚な態度で被控訴人方の気風に順応しつつ、進んで妻たる被控訴人を指導して生活を改善する等の積極的な方策に出、また被控訴人方の家人らも他家から入つて万事に不自由を感じがちな控訴人の立場に十分の理解と同情をもつてこれに接し、妻たる被控訴人もなれない控訴人をかばつて十分な愛情と協力をささげる等賢明な処置に出るべきものであつたが、事ここにいたらず、控訴人は不満を重ねて前記のような粗暴な行為に及び、そのあげくに被控訴人との別居離婚を決意し、被控訴人もまた控訴人のこの態度に対し離婚の止むなきことを決意するにいたつたもので、今日においては両者互いに婚姻継続の意思なく、その対立関係はますます悪化しているものというべきである。このような事情は民法第七百七十条第一項第五号の婚姻を継続し難い重大な事由があるものと認めるのを相当とする」（東京高昭二八・七・六高裁時報四・二・民七五）。

本訴と反訴とで離婚が求められている場合は、原告・被告ともに離婚意思があることの明らかな場合である。このような場合には、本来なら原被告間の婚姻は協議離婚に終ったはずであるが、そうならなかったのは、主に大義名分論や慰藉料の問題などがからんでいるためだと思われる。「婚姻が自由な合意によって締結されるなら、それはまた自由な合意によって解消されうる」というのが近代離婚法を動かしてきた理念である。二つの離婚意思があっても、それらが何かの事情で結びつかない場合には、合意に代る裁判をして離婚を認容するのが、右の原則の趣旨に則った解決である。つまり、両配偶者に離婚意思があるならば、いずれの配偶者が主たる責任を負うべきかを問わないで、離婚を許すべきだと思うのである。

しかしこの点について判例理論は統一されているとはいいがたい。【22】【23】とも被告にそれぞれ不貞行為、悪意の遺棄といった責任があるとすることは一致しているけれども、このような責任のある被告の反訴についての扱い方は異っており、【22】の判決はこれを棄却し、【23】の方は認容する。相手方に離婚意思のあることが明らかな場合には、責任の有無にかかわらず、離婚を許すべきだ、という立場から、後者の判決に賛成する。

【24】【25】の両事件とも、両配偶者に婚姻継続の意思がない場合であり、本訴・反訴ともに認容された（〔24〕の事件について、上告審も上告を棄却し、「なお原審認定に係る事実関係の下においては原審が本訴及び反訴各離婚請求を理由ありとし認容したのは相当である」とした（最判昭三〇・八・九家裁月報七・九・三〇））。結論として、

賛成する。ただ、【25】の事案では、妻の責任が夫のそれよりも著しく重大であるとはいえないから、問題はないが、【24】の事案では、婚姻破綻に対する主たる責任は夫に帰してよいように思われる。つまり、夫は、姑の嫁いびりを止めなかつたばかりか、自らも姑に同調・追随して妻を虐待したのであつて、夫には不作為のみならず作為による婚姻義務違反があるといえる。このような場合には、原則として夫の離婚請求は棄却さるべきであるが、妻に離婚意思があることが明らかなのであるから、この理由でそれが認容されることになると思う。

二　配偶者の不貞行為

一　不貞行為の意義

（一）　姦通　　不貞行為の中核が姦通であることは疑いない。姦通は、客観的には異性の第三者との同衾を、また主観的には少くとも条件的故意を必要とする。行為者は、恐らく今でも自分は結婚している、という意識をもたなければならない。ゆえに離婚届が受理された後に再婚したが、離婚届の無効が確認された、という場合には、その重婚は姦通とならぬことが多い（【59】参照）。不貞行為を理由として離婚を許容した、新法下の判例は、すべて姦通に関するもののようである。

【26】　被告は三人の妾をもつていた。先妻死亡後その一人である原告と、その間にもうけた男子を泉屋の長男として出征させてやりたい気持もあつて再婚した。

「ところで、被告の亡妻ミドリの生存当時は、原告と南浦仙子と小林明子とはともに被告の妾であつたが、そのうちの原告が、右ミドリの死亡後被告の妻となつたもので、南浦仙子との妾関係は承知の上で婚姻したものであることは右に認定の通りである。そうすると、原告が妻の座になおつたとたんに、南浦仙子等との妾関係を被告の不貞行為として非難することは、なにか急に開きなおつたようで割切れない感じを与えるかも知れない。しかし、妻以外の女との性的交渉が妻に対する不貞の行為であることは明らかだし、一旦婚姻によつて妻となつた以上、そのいきさつ如何にかかわらず、妻は妻であつて、夫の不貞を許容しなければならない妻というようなものをみとめることは厳密に一夫一婦の性秩序を貫徹しようとする法の立場と相いれない。原告が被告と前記南浦仙子等との妾関係を妻として我慢できないとして、被告との離婚をもとめる以上、右妾関係が原告に対する不貞の行為であることは明らかであるから原告の離婚の請求は理由があるとしなければならない」（大阪地昭二九・四・二八下裁民集五・四・五五四）。

【27】　被告（夫）は訴外中川こと藤田幸江と情を通じ、戦時中原告（妻）が被告の生家に疎開した後、同女と同棲生活を始めた。「被告が現在においても中川と同棲していることは被告の自認するところ」である。

「被告が別に訴外中川と同棲し原告等（妻および子）に対しその住宅の明渡を強要し生活費を与えないのは明かに原告に対する不貞の行為であると同時に原告等を悪意を以て遺棄したものといわねばならぬ」（大阪地昭二九・一二・七家裁月報七・八・七八）。

【28】　七七〇条一項一号、二号および五号にあたる例。

「而して証人鳥居マツ、戸口英造の各証言、原告（妻）本人訊問の結果を綜合すると原告は被告（夫）と婚姻同棲して以来主として原告の呉服掛継なる賃仕事よりの収入で被告一家の家計を支え子女を養育して来たものであり、被告自身の収入は挙げてこれを自分の道楽に費消し家庭を顧みなかつたのであり其間被告は他に情婦を作り慇懃を通ずるを常とし女を替えること八回にも及び現在は被告肩書中井好子方で同女と同棲して居る始末であつて時々原告方に帰つて来るがそれは専ら賭博や競馬、競輪等自己の遊びの為めの金品を要求する為であり原告が之に応じないと乱暴し物を投げつけたり刄物を持ち出したりして手におえない状態である事実……を各認定することが出来る。右に述べた様な事実は民法第七百七十条第一項第一号に云う配偶者に不貞の行為があつたとき及び第二号に云う配偶者から悪意で遺棄されたとき及び第五号に云う其の他婚姻を継続し難い重大な事由あるときの何れにも該当すること勿論であつて原告の離婚請求は理由がある」（京都地昭二五・五・一三下裁民集一・五・七二九）。

（二）　その他の行為　七七〇条一項一号の不貞な行為の解釈については学説が岐れ、あるいは広くそれを「一夫一婦制の貞操義務に忠実でない一切の行為を含み、姦通より遥かに広い概念である」とし（中川善之助「民法大要」六八頁、なお穂積重遠「相続法」五〇二頁参照）、あるいは狭く「貞操違反の行為であつて、即ち配偶者ある者が配偶者以外の者と性関係を結ぶことである。……更に詳しくいえば、不貞行為は、外形的には肉体的関係を、内心的には自由な意思を必要とする。この二要素の一を欠けば不貞行為は成立しない。だから例えば、単に姦通を推測させる行状とか姦通の未遂のごときは、ここにいう不貞行為に該当しない」という（中川善之助編「註釈親族法」二七二頁（木村健助執筆））。不貞行為の意義を狭く解すると、それに洩れた貞操義務違反の行為は、結局「その他婚姻を継続し難い重大な事由」で処理され、したがつて裁判官の裁量でそのような行為があるにもかかわらず離婚を認めないことになるおそれが大となるから、やはり広く解すべきだと思う。そうだとすれば、どの範囲までの行為を不貞行為に含ましむべきか。旧法時、裁判所は離婚原因法上の男女不平等を修正し、夫の姦通も重大侮辱として離婚原因になるものとしたが（たとえば〔32〕）、さらに姦通だけではなく、姦通以外の貞操義務違反の行為をも重大な侮辱とみた。この場合に、どの程度まで貞操義務違反行為を重大侮辱としたかは、新法の不貞行為の範囲を定めるに当つても参考となるだろう。

【29】　姦通の未遂。

「（三）　同年十一月ニハ常時原告（妻）家ニ被雇中ノ女中ニ戯レ悶着ヲ惹起シタルニ拘ラス更ニ昭和八年十

二月頃子守トシテ雇ヒ入レタル少女ヲ犯サントシ同人ヲ被告(夫)方ニ仲介シタルモノヨリ詰ラルルノ醜態ヲ演シタル事実ヲ認ムルヲ得ヘク被告本人ノ訊問ノ結果中右認定ニ反スル部分ハ当裁判所ノ輙ク措信セサルトコロナリ然ラハ被告ノ右所為中……（三）ハ重大ナル侮辱ニ夫々該当スルモノト認メ得ルヲ以テ斯ル事実ノ存スル以上原告其余ノ主張ニ付判断ヲ為ス迄モ無ク原告ノ本訴請求ハ正当ナルヲ以テ之ヲ認容スヘキモノトス」（東京地昭一〇・五・三 新報四〇〇・二五）。

【30】 夜間の逍遙・接吻。

「依て按ずるに原審証人野村直樹及浅川ユキの各証言並右野村証人の証言に依りて成立を認む可き甲第三、五号証を綜合すれば控訴人(妻)は商用の為め大正十四年頃より被控訴人(夫)方に出入しをりたる訴外野村直樹と相識り漸次昵近となるに及び被控訴人に秘して池田なる仮名を用ひて右訴外人と電話にて語り合ひ緒々纏綿たる恋情を披瀝したる艶書を交換し……且つメリヤス、ネクタイ、靴下等の物品を贈与し殊に大正十五年九月中某日午後八時頃活動写真観覧に藉口して外出し予め右訴外人と諜合せて上野停車場前に会合したる上、其付近の某飲食店に入りて飲食を共にし更に昭和二年一月中某日午後八時頃同様上野停車場前にて右訴外人を待合せたる上相共に上野公園東照宮付近を逍遙し密語を交へ尚同年三月中某日午後八時頃同様上野停車場前に落合ひ当日同伴せる女中浅川ユキを浅草公園金龍館に行かしめたる後上野公園摺鉢山付近を逍遙し同所に於て接吻を交へたる事実を認め得べく其他該認定を覆し得可き証拠なし従て控訴人が右訴外人と情交を交へたる事実に付ては本件挙証を以てするも未だ之を確認するに足らずと雖も叙上認定の如き控訴人の所為は妻たる婦女子として夫たる被控訴人に対し重大なる侮辱を与へたるものと謂ふ可く之を以て離婚の原因と為すを得べきこと勿論なりとす」（東京控昭四・五・三一 新聞三〇二九・一三）。

【31】 異性との観劇・食事。

「被上告人(妻)が上告人(夫)の不在中に数回三好信三郎と自宅に於て飲酒し又は同人を一二回宿泊せしめ又は同人と国技館帝国劇場に同行し帰途夕食を共にしたる行動は必ずしも被上告人の貞操を疑わしむべきものと謂ふべからず其の然るや否やは当事者夫婦と信三郎との交際関係其の他の事情を斟酌して判断すべきも

のにして斯る疑を排除すべき事情として原判決に列挙したる事実（「宿泊又ハ観劇ノ際ニハ常ニ被控訴人ノ姪ニシテ同訴外人ト已ニ婚約調ヒ居リタル山下イキモ同席シタル事実」筆者）の存在する以上は被上告人の前示行動を以て其の貞操に付疑を起さしむべきものに非ずと為すは敢て不合理なりと謂ふべからず」（大判大一二・一二・一四新聞二二二五・五頁）。

（三）　不貞行為は、生活の必要上已むを得ないものであつても、離婚原因となる【32】。しかし不貞行為が人間生存のデッド・ラインにある場合には、その責任は問わるべきではない【33】【34】。

【32】　上告人（婿養子）は、被上告人（妻）などから手紙の受取方が粗暴だと罵られ、男子の面目上已むを得ず家出し、その後生活の必要上松尾さよと同棲した。

「按スルニ原判決ノ認定シタル所ニ依レハ大正二年八月頃上告人ハ其養母及ヒ妻スミトノ間ニ些細ナル事ヨリ口論ヲ為シ突然家出ヲ為シタル以来養家ニ帰来セスシテ大正三年五月頃ヨリ松尾さよナル者ト内縁ノ夫婦トナリ且松尾商店ナル名義ヲ以テさよノ実兄松尾免三郎ノ援助ノ下ニ耐火煉瓦ノ販売取次等ヲ営ミ居リタル事実ニシテ斯クノ如ク夫カ其妻ヲ顧スシテ他ノ女ト内縁ノ契ヲ結ヒ之ト同棲スルノ行為ハ民法第八百十三条第五号ニ所謂重大ナル侮辱ニ該当スルモノニシテ其夫ノ家出カ相当ナル理由ニ出テタリヤ又他ノ女トノ同棲カ生活ノ必要上已ムヲ得サルモノナリヤ否ヤニ依リテ毫モ軒輊スル所ナシ」（大判大七・一二・一九民録二四・二三六五）。

【33】　原告（妻）と被告（夫）は、昭和一五年一二月一一日京城で結婚式を挙げ、同地で同棲、被告（陸軍建築技師）はその後北京に転任、家族の同伴は許されなかつたので、原告は内地に帰り、被告は単身で赴任したが、程なく山西省太原市に移転した。終戦後被告は国民政府軍に勤務し、同市で三〇歳余りの女性と同棲していた。

「終戦後は同市に残留していた単身の男女は単身で生活することの困難な事情もあつたので、殆んどだれもが、適当な相手を求めて夫婦同様の生活を営んでおり、そのなかには内地へ上陸するまでの間という約束でかりの夫婦となつている者も多かつた。……戦後の外地におけるこのような特殊な環境の下にあつて、被告が他の女性と同棲した事実があつたとしても、これを平常時における平常な環境のもとにあつたと同様に考えることは出来ない。もとより妻としては忍び難いところであるが、これを不貞な行為があつたものとして、離婚の責を帰せしめることは酷であつて、同条第二項に裁判所は不貞の事由があるときでも「一切の事情を考慮して婚姻の継続を相当と認めるときは離婚の請求を棄却することができる」と規定している趣旨よりしても、この事実だけをとらえて被告に不貞な行為があるものとして離婚の判決をすることは適当ではない」（東京地昭二五・一二・六下裁民集一・一二・一九二三）。

【34】 原告（夫）と被告（妻）とは、昭和一八年三月九日婚姻届をし、満洲国興安省大阪開拓部落で同棲した。原告現地応召。終戦後開拓団の残留団員は団体行動をとつたが、原住民から掠奪・殺人の憂目にあわされ、解散。夫のいない女子は原住民の妾となつてでも生活するほかない状態となつたので、被告は蒙古軍副団長の妻となつた。そして同地方の邦人引揚のときには、集合地の駅頭まできたが、内地に帰らないといつて、汽車に乗らなかつた。

「おもうに終戦後の秩序混乱せる満洲において常に生命の危険に曝されていた日本人婦女子が夫でない男性と妾関係乃至は一時の夫婦関係を結んだとしても、かかる行為が同人等の生命維持の為最後の手段であつたとすれば、これは同人等の自由なる意思に基くものではなく従つて同人等に対しては貞操の保持を期待する事の不可能な場合に該当するのであるから、これを目して民法第七七〇条第一項第一号に所謂不貞の行為があつたと論じ去ることは出来ない。そしてこれを被告の場合について見ても被告が蒙古軍副団長の妻となつた事自体を以てしては未だ同女に不貞の行為があつたとは断じ難いのであるが、その後日本引揚の機会があつたのにかかわらず、これを抛棄して現地に留つた点に至つてはたとえ夫たる原告が現地応召のまま消息を絶ち、内地に帰還しても果して従前通り原告との夫婦生活を継続し得るか否か、十分な期待を持つ事ができなかつたにせよ、自らその自由意思により原告との夫婦生活を営み得る機会を抛棄し、現地における蒙古人との夫婦生活の継続を選択したものと解するの外はないのであり、右は夫たる原告を悪意を以て遺棄したものと認むべきであると共に、爾後における蒙古人との夫婦生活の継続は原告に対する不貞の行為と認むべきである」（大阪地昭二六（タ）二二号昭二六・一二・二〇）。

【33】【34】の判決は、戦後混乱期の外地という特殊事情においては、貞操保持の期待可能性が低い、とみたものであろう（千種達夫「平和にのこされたもの―未帰還者の離婚」ジュリスト二号二四頁、なお同「未引揚者の不貞と離婚」時報二三巻三号六五頁参照）。しかしこの他にも行為者の立場をこまかくみて期待可能性の度合を論ずべき場合があること勿論である（一の四、(一)(5)参照）。

二　不貞行為の認定

不貞行為については直接証拠は殆んどえられないから、間接証拠に基づく不貞行為の推認が問題となる。このうち姦通については、英法上、つぎの事実があれば、姦通が行われなかつた旨の説明が合理的になされえないかぎり、姦通を推認すべきものとされるが（Eversley's Law of domestic relations, 6th ed., 1951, p. 275 f）、参考になるものと思う。

(一)　被告が異性と同室で一夜を過した場合

わが判例もほぼ同様の結論を認める。

【35】 被告（妻）が、原告（夫）方に雇人として住み込んでいた訴外大口四郎とともに、大口の姉大口はると名乗つて、赤倉、和倉、片山津方面に温泉旅行をこころみ、さらに滋賀、京都、大阪（浮田旅館）にまで足をのばした事案。

「而シテ証人大口四郎ハ同人カ前記ノ如ク其所持金ヲ以テ被告ヲ温泉地ニ同伴シタルハ主人タル原告及被告ニ対スル報恩ノ意思ニ出テタルモノニシテ殊ニ被告ハ前示温泉地滞留中ハ月経時ナリシニ依リ被告ト情交シタルコトナキ旨供述シ又甲第十号証中ニモ同証人ノ同趣旨ノ供述並被告ノ右大口ト情交シタルコトナキ旨ノ供述ノ各記載アリト雖モ右大口ト被告ノ前示各宿泊ハ総ヘテ同室ニ於テ為シタルコトハ右大口ノ証言スルトコロニシテ甲第七、八号証ヲ綜合スレハ被告及右大口ハ前記浮田別館ニ於テハ一箇の寝床ニ就寝シタル事実ヲモ窺知シ得ヘク……右大口四郎及被告は前示旅行中ノ各宿泊ニ際シ互ニ情交ヲ結ヒ姦通ヲ為シタルモノト一応認ムルヲ妥当トスルヲ以テ該事実ヲ否定スル証人大口四郎ノ前示証言及甲第十一号証ノ前示記載部分ハ未タ輙ク措信シ難ク其他右認定ヲ左右スルニ足ルヘキ何等ノ反証ナシ」（東京地昭三・三・五新聞二八四四・一五）。

（二）妻が子を産み、夫が父でありえないと証明された場合

（三）被告が書面によつて姦通の自白をした場合　わが判例については【27】参照。

（四）被告が原告以外から染つた性病にかかつていることが証明された場合

（五）被告が淫売宿を訪ねた場合

（六）被告が重婚を結んだ場合　しかしわが民法上は、協議離婚が認められているので、重婚が姦通にならない場合を多く生ずることに注意すべきである（二の一、（一）参照）。

三　配偶者からの悪意の遺棄

一　悪意の遺棄の意義

（一）遺棄とは、婚姻共同生活の廃止を意味する。婚姻共同生活の基本的要素は、同居、協力扶助の義務であるから、遺棄は同居、協力扶助の義務と関係をもつている。この関係については、つぎのように考えるのが正しいと思う。同居義務か協力扶助の義務かのいずれかを怠れば遺棄がある、といえる場合も少くないが（末川博「民法」（下ノ一）一〇四頁、中川善之助編「註釈親族法」（上）二七三頁、中川善之助他「親族、相続法ポケット・コンメンタール」八八頁、判例〔45〕参照）、同居義務と協力扶助の義務とを悉く放棄してはじめて遺棄がある、つまりそのいずれか一方の放棄だけでは遺棄がない、とみなければならぬ場合もかなりある（中川善之助「民法大要」六八頁、判例〔36〕〔37〕参照）。要するに、同居義務また

は（および）協力扶助の義務違反が婚姻共同生活の廃止と評価される場合に、遺棄があることになるのだと思う。

【36】 正当な理由を欠く同居義務の継続的不履行を悪意の遺棄にあたらないとした例。

「この場合被告（妻）は自己の我ままを通し、原告（夫）との協議が充分整つていないにも拘らず、勝手に実家へ帰つてしまつたこと、殊に自己の荷物道具迄も運び去つたということは、原告との同居を拒否したと見なければならない、しかし被告に於て原告との結婚生活を廃絶する意思を有していたかということになると一概にそう断定してしまうわけにはいかない、つまり原告と被告の間には病後の養生をどうするかということでもめていたのであり、入院中両者の関係は一応円満に進行していたのであるから、荷物を持つて無断で実家に帰つたこと、而も持参金として原告方に預けていた五千円の社債も持ち帰つたという事等を外見的に見ると一応廃絶の意思があつたようにも見えるが真実は、被告の増長したわがままの仕業であつて、夫婦生活についてのしつかりした認識のない被告が安楽な生活を希んでの軽卒な行為であり、結婚廃絶の意思までも有して居らなかつたものと見なければならない、このことは実家へ帰宅後も被告と原告との間には文通もあり、生活費の授受も行われているし、昭和十七年末頃原告からの復帰の要請に対して之に応じて他人を介してではあるが原告方へ復帰方の交渉をしている事実よりして推断出来る。従つて昭和十六年三月七日、被告に悪意の遺棄ありとする原告の主張事実は之を採用することが出来ない」（京都地昭二八・一二・一一下裁民集四・一二・一六三八）。

【37】 協力扶助義務違反の行為を悪意の遺棄にあたらないとした例。原告（妻）は、被告（夫）などの同意をえて、東京の実家に帰つて女児を分娩、被告宛出産の通知を出したが、被告は上京しないばかりか、返信さえ寄こさなかつた。

「被告は正子出産により東京都内に原、被告の住家を新築するため一家総出で新潟県新井町へ用材の運搬に出かけたため原告の実家へ赴くことができなかつた旨主張するので調べてみるに、証人田村五郎の証言並に同田上清一、同田上みよの各一部証言によると、清一は貨物自動車を使用して重量物運搬業を営んでいるので東京都内に支店を置くことが営業上好都合であつたので、田上五郎と協議の上原、被告の婚姻を好機として同人が賃借している東京都内亀戸の土地を借受けて家屋を新築し、ここに原、被告を居住させる旨の約定が婚姻の式の前に為されていたこと、従つて正子出産の電報を見て家屋の新築を急ぐため清一において右新井町へ用材の搬出に行き被告やその義弟も共に出かけたこと等をいずれも認められるが、さりとて被告に夫たり父たる責任を感ずる一片の誠意さえあつたならば、原告に対し電報・手紙その他の方法により原告に安心を与え、その信頼を保つことができて本件原、被告双方の紛争の因を作らずに済んだものと考えられるので、被告の右主張は被告の誠意を示すことにはならないから採用に値しない。以上のように被告に誠意がなかつたから産褥にある原告に対し何等の愛情を示さず、食糧その他の便宜を与えず原告母子を放置したことはこの一事のみでは同法第七百七十条第一項第二号に定める配偶者を悪意で遺棄したとの離婚原因に該当するまでには至らない」（長野地昭二六・二・一九下裁民集二・二・二二九）。

問題は同居義務は懈怠しているけれども、扶養義務には違反していない、という場合を悪意の遺棄にあたるとした旧い判例である【38】。この判例は新法のもとでは部分的に拘束力を失つてしまつたものと思う。なぜなら、夫婦間の扶助の義務は、相手方が「自己ノ資産又ハ労務ニ依リテ生活ヲ為スコト能ハサルトキ」にだけ相手方を扶養すべき義務ではなく、自己と同程度の生活を配偶者に保障する義務であつて、離婚原因としての悪意の遺棄に対して新法上意味をもちうるのはこの扶助義務にほかならず、したがつて扶助の義務に焦点を合わせて悪意の遺棄の有無を論ずべきだからである。そうだとすれば、同居義務を怠つている場合に、扶養義務程度の給付はしていても、それが扶助の程度に達していなければ、なお悪意の遺棄があることになるが、同居義務こそ怠つているが、協力扶助の義務は履行しているというのであれば、通常そこには婚姻共同生活を廃止しようとする意思はなく、したがつて婚姻共同生活の廃止もないとみることができるから、悪意の遺棄にあたる行為はない、といわなければならない（我妻・立石前掲書一四六頁参照）。

【38】（上告理由）「民法第八百十三条第六号ニ所謂悪意ノ遺棄ナルモノハ単ニ夫婦ノ一方カ他ノ一方ト別居シタリトノ事実ヲ以テ足レリトセス又妾ヲ置キ若クハ妾ヲ携帯シテ他出シ久シク家ニ帰ラストノ事実ノミヲ指称スルモノニアラス悪意ノ遺棄ト称センニハ少クモ右摘示ノ事実ニ加フルニ扶養ノ義務ヲ欠キ夫ニアツテハ其妻ニ対シ相当ノ保護ヲ与ヘサリシトノ事実ナカル可カラス苟モコノ事実ニシテナカリセハ決シテ悪意ノ遺棄ト称スルコトヲ得サルヘシ」。

（判決理由）「然レトモ民法第八百十三条ニ所謂悪意ノ遺棄ハ扶養義務ノ如何ニ関セス夫婦ノ一方カ悪意ヲ以テ他ノ一方ヲ遺棄スルヲ云フモノナリ何トナレハ扶養義務ハ民法第九百五十九条ノ規定ニ依レハ扶養ヲ受クル者カ自己ノ資産又ハ労務ニ依リテ生活ヲ為スコト能ハサルトキニノミ存在スルモノナリ故ニ扶養ノ義務ヲ受クヘキモノカ資産又ハ労力ニ依リテ生活ヲ為シ得ルニ於テハ扶養ノ義務ヲ受クルコト能ハサルモノナレトモ此場合ニ於テ他ノ一方カ悪意ヲ以テ遺棄スルニ於テハ即民法第八百十三条ニ所謂悪意ノ遺棄カ成立スルモノナレハナリ故ニ上告論旨中ニ摘載セル原判文ノ説明ハ至当ニシテ毫モ違法ノ点アルコトナシ」（大判明三三・一一・六民録六・一〇・一六）。

(二)　悪意とは故意というのに同じ。故意は結果の発生を意図もしくは希望することを要しないが（【39】参照）、それを認識するだけでは足りない。社会的・倫理的に非難されうるものであるがためには、結果発生を認識しているだけではなく、その認容がなければならない。この意味で悪意とは婚姻共同生活を廃止しようとする意思の謂に解すべきである。この意思が明示的に表明されていれば問題はないが、それが黙示的に表示されているにすぎない場合にも、たとえば復帰要求の拒絶（【40】）、音信不通（【39】）などによつてその存在を認定することができる。

【39】　被告（夫）が遺棄の結果を希望したとはみられない例。

「而して被告が原告と同棲僅に数日にして殖民事業監督のため墨西哥国へ出発し其の際半年許りにして一先ず帰朝し原告を同国へ伴ひ行くべき旨を言残したるに拘はらず其の約を履まず渡航後三、四年間は原告に音信ありたるも其後漸く消息を絶ち且つ今日に至る迄原告及び其他の家族等に未だ曾つて一金をも送付し来らず……為めに原告家は生計に窮し親戚の扶助に依り辛ふじて糊口の資を得原告は前後七年間余他家の雇人と為りて空閨を守るの苦境にあることは証人岩崎テル同小林ハルの証言に依りこれを認むるに足る右の事実に拠て之れを観れば被告は悪意を以て原告を遺棄したるもの」（東京地大三・一一・二五新聞九八七・二三）。

【40】復帰要求の拒絶によつて遺棄の意思を認定した例。

「被告（妻）が、原告主張の頃、原告（夫）の許を無断で立ち出で仙台の実家に帰り、爾来原告の再三の懇請があつたに拘らず正当の理由なくして原告の許に復帰せず、そのまま現在に至つて居ることは、証人増田一雄、同野村明の各証言並びに原被告各本人尋問の結果（但し原告は第一、二回共）を綜合して、之を認め得る。右認定を動かすに足りる証拠は一つも存しない。右認定の事実に徴すると、被告は悪意をもつて原告を遺棄したものであると認めるに十分であるから原告の本件離婚の請求は正当である」（東京地昭三〇・二・一八家裁月報七・一〇・四〇）。

二　同居義務違反

前に述べたように（三の一（一））、正当な理由のない同居義務の不履行をもつてただちに悪意の遺棄とすることはできないけれども、そのような行為が悪意の遺棄となることは多いであろう。逆に正当な理由による同居義務の不履行の場合をすべて悪意の遺棄にあたらない、とすることもできないけれども、同様にそのような場合には悪意の遺棄がないことが多いであろう。つぎにあげた判例は、同居義務違反を正当理由に結びつけてただちに悪意の遺棄の有無を判定するような口吻を示すが（なお青山道夫「身分法概論」一二七頁参照）、正当理由による同居義務違反の区別と悪意の遺棄との関連は、一応のものであつて決定的なものではない、とみなければならない。

（二）　正当な理由がない同居義務違反　つぎの二件は、同居義務のほか協力扶助の義務もつくしていないとみられる例である。

【41】　原告（妻）里帰りの後間もなく被告（夫）はばい毒の症状を感じた。被告は、原告が里帰り中訴外某男の家を訪れたことをとらえ、同人との情交関係によつてばい毒に感染したものと思いこみ、原告と別居した。

「それは、被告としては、原告と同居すると自分の病気がなおらないと信じ、とにかく原告の素行を疑つて、その素行について疑わしい行為がなかつたならば、再び家に迎えて同居する意思に出たのであるが、原告の別居せしめられた居室というのは、電燈もなく、畳もなく、僅に上敷を敷いて起居するような状態であり、しかも原告はこのところに別居させられながらも相変らず、被告等のためその田畑の耕作山仕事に専念し、その素行についても被告をして疑わしめるような行動は一切なかつたにもかかわらず、被告はその後約二年近く原告をこの状況のまま放置して同居を許さず、夫婦関係も結ばず、主食類をこそ支給していたものの、前記のような原告の働きにも、またその妻としての地位にもふさわしからぬ窮況にさらして顧なかつた。原告はこうした生活を続けるうち、ついに昭和二十三年中にはるいれきにかかり苦しんだが、その治療費はもとよりまかなえるところでないし、被告は相変らず、復帰に肯じないので、原告も終に被告との婚姻継続に望を絶ち昭和二十四年一月実家に立帰らざるを得ないこととなつたのである。……以上の事実によつて見れば、被告は何等正当の事由なく原告を同居せしめなかつたのであつて、原告を悪意を以て遺棄したものというべきである。従つてこの事由に基く原告の被告に対する離婚の請求は理由がある」（神戸地昭二六・二・一五下裁民集二・二・二〇二）。

【42】　被告（夫）は上海から引揚げた後、一、二の商店に勤めたが、長続きせず、原告（妻）の実家に寄寓し、原告実弟の出資をもえて製粉・製縄業を営んだが、やがてこれにも飽きて顧みないようになつたので、原告が代つてその衝に当つた。そのため食事の世話、洗濯物の処理など原告の被告に対する配慮が行届かなくなり、被告の不満はつのつたが、たまたま被告がその実兄等所有の山林を無断売却し、買主との間に立つ

て窮地に陥り、所在を晦ます必要が生じたので、被告は突如原告方を家出した。

「被告が小林家に原告及び二子を遺して家出するに至つた事情はすでに前段認定のとおりであつて、被告家出当時の準拠法たる日本国憲法の施行に伴う民法の応急的措置に関する法律第五条によれば「夫婦はその協議で定める場所に同居するものとする」と規定されているから、被告が妻たる原告の意思に反して従来の夫婦共同生活を廃止し、その協議に因るにあらずして単に一方的に夫婦の居住する場所を指定しても、原告において諸般の事情から之に応ずるのが当然であるのに勝手気儘に之に応じないと考えられる場合は別とし、そうでない限り原告は之に従う要はないものであるが、……被告は夫として一家の支柱たるの責任観念を欠き一家生計の困難に直面するも、これが打開を被告に期待しがたい事情にあつたこと、被告が同居すべき場所として指定した木幡小字南山の居宅は山腹にあるため、営業に適せず、同所にあつては一にあまり当にもならぬ被告の収入に頼つて徒食する以外に生計の途なき関係にあることを認め得るから、被告が原告を同所に引取り同居をなすも到底原告をして安んじて家庭生活を享受せしめるに足る諸条件を具有しないものというべく、原告は被告の居所指定に応ぜざるにつき正当の理由あるものと謂うに足る。然るところ離婚原因たる悪意の遺棄とは故意に相手方の意思に反してなす夫婦共同生活の廃止すなわち悪意に出でたる同居義務の不履行を指称するものと解するから、右認定の如く被告が原告及び二子を遺して家出し、捨てて顧みないのは悪意を以て遺棄したものと認めることができる」（京都地昭二五・八・一七下裁民集一・八・一三〇五）。

（二）　正当な理由による同居義務の不履行

【43】　妻が医師の注意により実家で慢性病の治療をしていた事案。

（上告理由）　「要するに民法(旧)第七百八十九条の妻が夫と同居すべき義務は絶対的規定にして病気其他如何なる理由の存するも妻は同居を拒む事を得ざるものにして其之を欲せざるは妻が即ち悪意を以て夫を遺棄したるものと謂はざるべからず」。

（判決理由）「民法第七百八十九条に所謂同居の義務違背と悪意の遺棄とは同一なるものには非ず同居の義

務に違背したる場合に於いては他に之を強制する方法あるべく其の義務に違反したる者は常に必ずしも悪意を以て遺棄したるものと謂うことを得ず、而して原院は其の証拠に依り上告人と同居せざるは真実病気未だ全癒せず且その治療上已むを得ざるに出でたるものにして、被上告人が悪意をもつて上告人を遺棄したるものに非ずと認定したるものなれば、原判決には所論の如き不法有るものに非ず」（大判大五・一〇・一新聞一二二〇・三〇）。

【44】　夫が妻を叱責して実家に立ち帰らせたる事案。

「原判決の理由の後段に控訴人の大正十年七月三十日其の実家に戻りたるは被控訴人より叱責して立帰らしめたるものとあるは上告人の行動を詰責する厳なるが為被上告人をして実家に立帰らしむるに至らしめたりと云ふの趣旨なりと解すべきなり然れば上告人の詰責の理非は姑く措き被上告人が家を出で帰来せざるは同居義務の違背たることを自覚の下に之を敢てするものに非ざれば悪意を以て上告人を遺棄したるものと謂ふべからず原院が悪意の遺棄たることを拒否したる所以のものも亦之に外ならざるべし上告人が被上告人を離婚せんと欲し其の策を講ずる事実の如きも原院は之を以て被上告人が帰来を躊躇するの一因と見たるものなれば之を以て悪意の遺棄たることを否定するの一理由となしたるは謂はれなしとせず」（大判大一二・一二・一四新聞二二二五・五）。

（三）　協力扶助の義務違反

つぎの判決のほか、【37】【39】参照。

【45】　原（妻）被（夫）告は合意のうえ別居したが、被告は原告に殆んど生活費を送らず、後には強盗逃走罪を犯し、懲役五年六月に処せられた事案。

「民法第七百七十条に掲げる離婚原因たる悪意の遺棄とは夫婦の一方が何等正当の事由なくして相手方との同居生活を廃棄したり（同居義務違反）、夫婦間の協力扶助の義務を著しく怠つたような場合をさすものと解せられる処、本件の原、被告は合意の上別居中であつたのだから同居義務違背の点は差当り問題外としても、被告が右別居に当つての約束に反し、当座の二カ月間だけ、しかも月百円程度を原告に送金したに止まり、その後は一切これをすてて省みなかつたことは、被告の右仕送りがほんの申しわけ的のものにすぎず、もともと被告には妻としての原告の生計保持に対する顧慮の如き殆んどその念頭になかつた証左だともいい得べく従つて前記のような被告の所為はこれを目して悪意の遺棄といえないことはない」（大津地昭二五・(タ)六号昭二六・二・二三）。

四　配偶者の三年以上の生死不明

一　配偶者の生死が三年以上明らかでない場合には、すでに婚姻は破綻し、その目的は失われているがゆえに、離婚が許される。したがつて生死不明が被告の責に帰すべき事由によつたかいなかは、問題でない。

【46】「而して民法第七百七十条第一項第三号が、配偶者の生死が三年以上明かでないことを法律上の離婚原因としたのは、夫婦は互に同居し協力扶助すべき婚姻の本義に照し、配偶者の一方が三年もの年月に亘つて生死不明の状況にある場合には、その夫婦関係は既に破綻を生じたものとして、相手方に婚姻関係を継続する意思がないときには、その請求に基いて前記婚姻の破綻を公けに宣言することを許した趣旨に外ならないのであつて、従つて、その生死不明となるに至つた原因如何は問わないものと解すべきである」（大津地昭二五・七・二七下裁民集一・七・一一五〇）。

二　生死不明とは、生存の証明も死亡の証明も立たないことをいう。生存が推定される場合は、厳密な意味での生死不明でない（〔5〕参照）。

【47】安東省にいた被告（妻）がソ連軍の進撃を避けて南下し、チチハル、新京を経て、奉天の収容所に収容されたことは判明したが、その後職を求めるとてそこを出た後は消息不明となり、それから四年を経過

した。

「もつとも這般第二次世界大戦における日本敗戦の当時満洲にあつて、ソ連邦または中国に抑留せられたため、未帰還の同胞については前記民法の条項を適用するにつき特別の考慮を払う必要あることは勿論であるけれども、本件の被告はその行方不明となつた事情に照して果して抑留されているものかどうかも明かでないのみならず、ソ連邦は既に日本人捕虜及び抑留者の送還打切りを世界に公表して居り、かつ中共地区よりの邦人の引揚は現在何等の見通しもつかない状況にあるのであつて、目下のところ被告の帰還は偶然を頼むの外なく、その時期についても到底予測し得ないところであるから、このような事情の下に原告に対してなお被告の引揚を待望させることは酷に失する嫌いありといわねばならない。果してそうであるならば前段認定の事実は前に述べた特別事情を考慮するもなお民法第七百七十条第一項第三号所定の離婚原因ある場合に該当するものと認めるのが相当であつて原告の本訴請求はその理由がある」（大津地昭二五・七・二七下裁民集一・七・一一五〇）。

【48】「被告は昭和十九年十月十五日臨時召集のため第十八野戦兵器廠要員として歩兵第三十七聯隊補充隊に入隊し、同月十七日転属のため渡満し同月二十三日元満洲国黒河省孫呉県孫呉に到着し満洲第二六三五部隊い隊に所属していたこと、その後の被告の動静については確実な資料を欠くけれども被告は終戦後武装解除を受けて入ソし、その時期は不明であるが（少くとも昭和二十二年六、七月以前）病気のためソ連病院に入院していたらしいとの情報、或いは昭和二十一年一月十四日満洲延吉病院で戦病死したのではないかと推測される情報があるのに反し、被告が生存しているとの資料は今のところ全然なく、死亡の公算が大であることを認めることができる。そして終戦当時満洲にいた日本人の消息は特殊な国際情勢に妨げられて真相を把握することが困難であり、従つてその生死不明を認定するについても特別の考慮を要することは勿論であるが、前記認定の諸事情を総合すると、被告は現在死亡した公算が大であるが、少くとも昭和二十二年六、七月以降は全然生死不明であることを認めることができるから、その後既に三年以上も経過している現在においては民法第七百七十条第一項第三号の離婚原因があるものと認めなければならぬ」（大阪地昭二六・二・二四下裁民集二・二・二七一）。

三　音信不通の事実だけでは生死不明を認定できないと思う（太田前掲書一四八頁）。別居時の状況なども考慮にいれて、その認定をなすべきである。

【49】「原告と被告とは、昭和十九年六月二十八日頃結婚式を挙げてから、原告の肩書住居に夫婦として同棲していたこと、被告は結婚前長く電話局に交換手として勤務し、その性質は朗らかであつたこと、原告と被告との夫婦仲は円満で別段のこともなかつたのに、被告は結婚数カ月後から神経衰弱症にかかつてその性質が変り、明朗性を失つて、日常ぼんやりした様子で気分がふさぐような情況であつたこと、そのうち原告主張のように、昭和二十年九月九日夜無一物で平常衣のまま外出したまま、原告家に戻らなくなつたこと、そうしてその後原告及び訴外原田シン（被告の姉）がいろいろ手をつくしても、全く被告の消息を断つたまま、今日に至つたことが認められる。前段認定の事情は、民法第七百七十条第一項第三号にいわゆる「配偶者の生死が三年以上明かでないとき」に該当するものと認めるのが相当である」（東京地昭二四・二・七総覧親族上三四一頁）。

四　三年の起算点は、最後の消息のあつた時である（千種達夫「平和にのこされたもの—未帰還者の離婚」ジュリスト二号二三頁は、生命の危険が少い平和時における音信不通をもつて生死不明といいきることはできない、との理由で、最後の消息時を起算点とすることに反対される）。

五　配偶者の回復の見込がない強度の精神病

一　回復の見込がない強度の精神病にあたるとした例。【7】をも参照。

【50】原（夫）被（妻）告は勤務先の関係で上海に居住していたが、昭和二〇年原告応召、同八月現地除隊。その頃から被告の行動に不審の点がみられた。内地引揚後、長女分娩を機として病勢が昇進し、被告は常時精神分裂症状を示すようになつた。二二年七月武庫川病院に入院、八月退院。しかし二四年一月頃再び症状が現れ、日常家事に事欠くだけではなく、時には家のなかで暴れ廻ることもあるので、原告は被告を実

家に帰した。同年八月被告は大阪病院に入院、間もなく布施市の病院に移つて、二年間治療を続けて退院したが、三度悪化、ついに昭和二八年五月精神衛生法二九条によつて武庫川病院に入院を命じられた。「被告の病状は精神分裂症(破爪型)の欠陥状態にあり幻覚妄想を有し、その結果異常行動、興奮を伴い特に月一、二回突然わけのわからない興奮を来して同居中の患者に暴行する為保護室に隔離しなければならない等の危険な衝動に駆られる程度に悪化し、現在に於ては継続して入院保護加療を要するばかりでなく完全な治療は無論の事、これ以上症状の軽快も到底望み得られない状態」にある。

「以上認定した事実によれば原告には民法第七百七十条第一項第四号に所謂配偶者が強度の精神病にかかり回復の見込みがないという離婚事由のあることが明らかである。これを被告の立場からみれば、その精神分裂症は終戦末期の混乱時代である昭和二十年原告の応召後唯一人異郷の地に暮していた事による心身の過労も一因となつたと推察出来ないではなく、その点同情に堪えないのであるが、右病因につき他に原告の責に帰すべき事由の存在する事は認められずむしろ被告の父親がその第三子病没後、独語幻覚不眠を招来し阪大病院神経科にて診断の結果鬱病のため約三年間療養していた事実に徴するならば元来被告にその様な素因のあつた事も考えられ、結婚後二年位にして既に被告の前記の如き病状に悩まされて来た上、更に自らも病にある原告に対し夫婦なるが故に回復の見込みのない精神病に患れる配偶者の終生の看護を強制することは些か酷にすぎるものと言わなければならない。加うるに原被告は六年前より別居してその婚姻生活は実質的に完全に破綻しており、被告には前記武庫川病院において国民健康保険の適用を受け大部分の入院費を国家の負担に於て、不足を母親の援助を受ける事によつて一応経済的に憂いなく加療中であり、現在右離婚により、路頭に迷う事情も存在しない。以上の事実を総合するなら前記離婚事由を排斥して尚婚姻を継続するに相当な事情が存しない本件に於て、原告の離婚の請求は相当であるから、之を認容することとする」(大阪地昭三〇・八・三一判時七一・一七)。

【51】　被告(夫)は月二回位の割合で癲癇の発作を起したが、昭和二一年三月頃突然の発作から精神に異常を来たしたので、園部町の援助をえて長岡病院に入院、三年余り治療した後、町予算の都合で已むなく退

院した。ところが二五年一月強度の発作が起つて手がつけられなかつたので、京都府立医大附属病院に入院させられた。「被告の病状は前記長岡病院入院前と退院後とを比べると発作の回数も非常にふえ、発作が起れば容易に治まらぬ程度に悪化し、遂に精神病となり現在においては継続して入院保護加療を要するばかりでなく、完全な治癒は到底望み得られない状況にある」。

「以上認定した事実によれば原告には民法第七百七十条第一項第四号にいわゆる配偶者が強度の精神病にかかり回復の見込がないという離婚事由のあることが明白である。一方被告の肉親としては被告のために、原告が現在のまま被告との婚姻関係にあることを望み原告の離婚の請求に応じられないと主張することは一応納得できるところである。然しながら本来精神的協同生活を基盤とする夫婦生活において原告は同棲以来七年絶えず被告の癲癇の持病に悩まされ、その間被告の入院によつてすでに約四年の長きにわたる空白を過ごし、将来に対する何の希望も持てず、現在とても喘ぎながらその日暮しの生活を続けているのである。何時果つべしともわからぬ苦難と忍従をこの上原告に要求することは些か酷に過ぎるものといわねばならない。回復の見込のない精神病におかされた被告の不幸は同情に堪えないのであるが、子宝にも恵まれない二十九歳の原告が将来を犠牲にしてこの不幸を共に分たねばならぬとすることはできない。以上の次第であるから原告被告間の離婚を求める原告の本訴請求は正当」（京都地園部支部昭二五・一〇・二六下裁民集一・一〇・一七三三）。

二　回復の見込がない強度の精神病にあたらないとした例

【52】　原告（夫）は昭和一九年八月頃単身京城に赴いて警察官をしていたが、翌年三月頃留守宅が空襲で罹災したので、被告（妻）は幼児三人を抱えて渡鮮した。しかし原告が行違いに内地に帰つた後だつたので、空しく神戸に引返さざるをえなかつた。この衝撃と過労によつて被告は軽い精神分裂症になり同年七月湊川病院に入院、一応治癒したので十月末退院した。しかしその後再び発病、二五年七月七山精神病院に入院させられた。「同病院係医師の診断によると当時の被告の症状は幻聴、被害妄想があり、質問に対しては

刺激興奮性があつて怒り易く落ち着きがなかつたが、その後電気衝撃療法を二十一回施した結果、現在被告は既往の精神病がほとんど全快し、多少の病的症状が残存している有様で、精神分裂症の欠陥は治癒の状態にあつて被害妄想とか幻聴とかは治り落ち着きもでてきて、仕事をしたいという意慾もでき作業能力も普通にあつて、ほとんど正常の精神状態になつていて残存している病的症状としては刺激に対して興奮し易い、いわゆるヒステリーの昂じた程度のものが残つているだけである」。

「しかるに精神病が離婚原因となるには、その病状が強度であつて、且回復の見込がないということが必要であつて、病状が軽く回復の見込がある以上は再発する可能性の多い精神病の場合でも離婚の事由にならないものと解すべきところ、右認定の事実によると被告の精神病はそんなに重症ではない上に既に治癒の状態にあつて、回復の見込がないということもできないから、被告の患つている精神病は一度罹患すると治癒しても何時再発するかも判らない病気ではあるが、その故を以て離婚事由とすることはできないのであつて、被告の精神病を原因とする原告の離婚の請求は理由がないといわなければならない」（大阪地昭二七・九・一三下裁民集三・九・一二二五）。

六　婚姻を継続し難い重大な事由

一　婚姻を継続し難い重大な事由の意義

判例には抽象的に婚姻を継続し難い重大な事由が何であるかを定義したものは見当らない。しかしそれはもはや婚姻の本質に応じた共同生活の回復が不可能とみられるほど深く婚姻を破壊した事由をいうものと解すべきである。純粋に客観的な標準（ドイツ婚姻法四三・四八）をいうのであつて、婚姻継続の期待可能といつた主観的標準（ドイツ民法一五六八）を定めたものではない。つまり原告配偶者にその個性上婚姻の継続が真に耐え難い重荷と感じられるかいなかは窮極的な標準とならない。もとよりこのような主観的標準も全く無意味なわけではなく、婚姻破綻の程度を吟味する一規準にはなるけれども、それはそれだけにとどまり、婚姻を継続し難い重大な事由があるかいなかは、あくまで客観的に決せられるべきである(Vgl. Lehmann, ibid. S. 138)。新法では、夫婦関係から、夫の権威と妻のそれに対する随順といった権力関係は、完全に排除され、その代り婚姻関係は、夫婦が対等の立場に立ち、愛情に基ずいて内面的な協力をすることによって維持すべきもの、とされた。婚姻を継続し難い重大な事由の有無も、このような婚姻の本質からみて、当事者の生育の環境、学歴、職歴、資産収入、健康、性格、行状心情、別居期間などすべての事情を総合して判断すべきであって、この判定に当っては、つぎに挙げる判例が参考となるであろう。

二　婚姻破綻について相手方に責任がある場合

(一)　前に述べたように、判例は婚姻の破綻について原告に主たる責任がある場合には、離婚を認めない、との立場をとっているが(一の四参照)これを裏返えせば、相手方に婚姻破綻の主たる責任がある、すべての場合に、離婚を許すべきことになる。旧八一三条は、多くの具体的な有責離婚原因を列挙していたが、このうち新法に踏襲されなかった、配偶者の破廉恥罪または重罪による処刑(八一三4)、配偶者からの虐待、侮辱(八一三5)などは、明らかに婚姻を継続し難い重大な事由となる(前掲国会関係資料一四三頁以下)。

【53】　被告(夫)が二回に亘って詐欺罪により懲役二年に処せられた場合。

「原告主張の如く被告が二回に亘って懲役刑の言渡を受け其の刑の執行を受けた事実、被告が現在服役中である事実、右刑の執行中被告は其の妻たる原告及び子女の扶養をなすことができなかった事実、原告は其の生活の困難を来し自ら働き且つ日雇労働をしている原告の父荒谷吉太郎の援助を受けて辛うじて其の生活を営み且つ子女を扶養している事実を窺知することができる。かくの如く二回も犯罪を犯し家族の生活に重大な支障を与えたことは民法第七百七十条第一項第五号の婚姻を継続し難い重大な事由に該当するものと謂わねばならない」（釧路地帯広支判昭二七・一一・七 下裁民集三・一一・一五八〇）。

【54】　原告（妻）は元来虚弱であり、静養のためにしばしば実家に帰つたが、このことが粗暴で嫉妬深い被告（夫）の感情を害した。ある時は、被告が原告の実家に行つて、原告が帰宅しないことを難詰して殴打したうえ、原告の頭髪をつかんで座敷から玄関まで四、五間もひきずつたり、他の時には、原告の母が原告宛に実家に泊りに帰るように葉書を寄こしたのを憤慨して、火ふき竹で原告の脚や頭部を強打し、原告に脳震盪を起さしたうえ、治療三週間を要する右側頭部挫創などを負わせた。

「新憲法により認められた両性の本質的平等の観念がいまだ徹底せず、封建的な夫優先の思想が根強く存在している此の地方に於て夫が妻に対し暴力を揮うことは、世上しばしば見聞するところであるが、それは多く弱者である妻のくつ従によつて大して問題とせられないまま黙過されているのである。しかしながら暴力はたとえ夫婦間においても否定されるべきであつて、夫の性格が粗暴でしばしば妻に対し暴行を加え、それが妻にとつて耐え難く見える場合、なお、妻に対し婚姻関係の継続を強要して夫に対する忍従を求めることは妻の人格の犠牲において夫の暴力を是認して、男女不平等の封建的家族制度を認容する結果となり、新憲法の精神にも背き、とうてい許されないところである。ことに、夫が暴行によつて、妻に傷害を加える如きは、妻の人格権の著しい侵害であつて、それは刑法上の犯罪行為であるのみならず、民法上の離婚原因となるものと認めるのを相当とする。かような観点からすると、原告において妻として多少の責むべき点があつたとしても、被告が原告に対して行つた前示認定の如き各所為は、民法第七百七十条第一項所定の婚姻を継続し難い重大な事由に該当することは明白であるから、原被告の離婚宣言を求める原告の請求は理由がある」（松江地昭二五・二・日不明 下裁民集一・二・三一三）。

【55】　被告（夫）は元来短気粗暴、酒乱の癖があり、原告（妻）は甘い新婚の夢に破れて、夫婦生活が冷たくなつたので、被告はこれに不満をいだき、深夜泥酔して帰宅し、原告を怒鳴り殴打し、物をなげつける

などの暴行傷害を加えた。

「扨て、原被告間の夫婦生活における右破綻の生じたのは、原被告相互の性格の相違又は愛情の欠如に因ると言うより、被告の性格の粗暴、短気及び酒乱に依る暴行に起因するものと言うべき処、新憲法における両性の本質的平等の理念からして、夫が妻に対して暴力を揮うことは、旧来の因襲的道徳観から、未だ往々にして軽視されているが、これは強く否定すべきであつて夫に粗暴、短気、酒乱の性癖があり、これがため、妻に対し、しばしば暴行傷害を加え（仮にそれが憎しみから出るものでなくても）、妻として夫の虐待に耐えがたい場合、なお裁判所が妻に対して斯る夫との婚姻関係の継続を強要して、夫に対する忍従を求めることは、妻の人格を無視し、その犠牲において夫の暴力を公然是認することとなり、新憲法の精神に背くものであつて、到底これを認容できないところである。この観点からすると、仮に、原告において妻としての態度に、多少の責むべき欠点があるとしても、被告の原告に対する前記認定の諸行為は、民法第七百七十条所定の婚姻を継続しがたい重大な事由に該当するから、原告が右事由に因り被告に対して離婚を求める本訴請求は正当であるからこれを認容する」（長野地諏訪支判昭二七・八・二〇下裁民集三・八・一一五八）。

以上のように、配偶者に犯罪による処刑や暴行虐待がある場合には、新法下の判例でも、離婚が認められているが、注意すべきことは、これらの行為そのものによつて離婚が許されたのではなく、「二回も犯罪を犯し家族の生活に重大な支障を与えた」とか、「妻として夫の虐待に耐えがたい場合斯る夫との婚姻関係の継続を強要して、夫に対する忍従を求めることは、到底これを認容できない」と判示されたように、犯罪や虐待によつて婚姻が破綻したという理由で離婚が認められたことである。つまり判例は責任よりも破綻を前面に押し出しているのである。

相手方の犯罪行為の摘発が「重大ナル侮辱」（旧八一三5）にあたるか、については、大審院時代の判例と最高裁判所の判例とで解釈が幾分異るようにみえる。

【56】　上告人（夫）が被上告人（妻）を文書偽造行使詐欺取財の罪ありとして告訴したが、検事局はその告訴に対して不起訴の処分をした。妻離婚請求。一審、二審とも妻の請求を認容。夫上告。

（上告理由）　原審判決は「該告訴ニ対シ明治四十二年二月二十六日不起訴ノ処分アリタルコトハ……明ナレハ右告訴事実カ真実ニ吻合セス控訴人ノ軽卒ナル行動ニ出ツルコトヲ認メ得ヘキヲ以テ以上ノ行為ハ民法第八百十三条第五号ニ所謂重大ナル侮辱ニ該当スルモノト謂ハサルヘカラス」と説示したが、「本件ノ告訴ハ夫婦親族間ノ紛紜ナルヲ以テ検事局カ刑事政策上ノ方針ヨリ不起訴処分ヲ為シタ」ものであるから、「単ニ不起訴処分ナル結果ノミニ着眼シ直チニ「右告訴事実カ真実ニ吻合セス控訴人ノ軽卒ナル行動ニ出ツルコトヲ認メ得ヘキヲ以テ云々」ト速断シタルハ理由不備若クハ証拠ノ法則ニ背戻セル不法ノ裁判」である。

（判決理由）　「按スルニ夫カ其妻ニ犯罪行為アリト確信シ且之ヲ確信スヘキ相当ノ理由アル場合ニ於テ之ヲ告訴スルカ如キハ必スシモ不当ノ行為ニアラサレハ単ニ検事カ告訴事件ニツキ不起訴ノ処分ヲ為シ又ハ告訴ノ事実カ真実ニ吻合セサルノ事由ノミニ依リ直ニ告訴ノ行為ヲ以テ民法第八百十三条第五号ニ所謂重大ナル侮辱ニ該当スルモノト謂フヲ得ス原審口頭辯論調書ヲ査閲スルニ上告人カ被上告人ニ犯罪行為アリト信スヘキ相当ノ事情アリシカ為メ告訴ヲ為シタル旨主張シタルコトハ乙第十六号証ノ立証趣旨ニ徴シ推知スルニ足ル然ルニ原院ハ単ニ其告訴事件ニ付キ不起訴ノ処分アリタルノ一事ヲ根拠トシテ其告訴ハ真ノ事実ニ吻合セス上告人ノ軽卒ナル行動ニ出テタルモノト認メ其之ヲ為スニ至リタル相当ノ事情アリシヤ否ヤヲ審査セスシテ直ニ之ヲ以テ民法第八百十三条第五号ノ重大ナル侮辱ニ該当スルモノト断定シタルハ理由不備ノ違法アルヲ免レス」（大判明四三・一二・一九民録一六・九六三）。

【57】　妻（被告、反訴原告、控訴人、上告人）が夫（原告・反訴被告、被控訴人、被上告人）を告発して、銃砲等所持禁止令および食糧管理法違反の罪に陥入れたことを、重大なる侮辱にあたるとした例。

（事案）　「上告人は昭和二十一年七月十二日その妹の夫である瀬口三治及び藤野富夫等とともに被上告人方に赴き被上告人に対して離婚を申入れて衣類等の引渡を求め且つ向十五年間の生活費の要求その他の条件

を持ち出し被上告人が離婚の責任は上告人にあるとて右要求を拒絶したのでそれではかねて被上告人において所持していた刀剣類のことを占領軍に告発するとおどして被上告人の応諾を強い、はては同日電話を以て右の旨を占領軍に通報し同夜以来被上告人方に泊り込んで当局の家宅捜索を待ち翌日被上告人は所轄警察署に呼出されて取調を受け同夜は同署に留め置かれ、その翌日の家宅捜索に際しては上告人自から係員を案内して被上告人不在中の家宅内を隈なく物色させその結果上告人の予期していた日本刀二振は発見できなかつたものの（これは上告人の家出後被上告人において供出ずみのものであつて上告人としては右供出のことは知らなかつたのである）長刀の穂先一振と米一俵の摘発に所期の目的を達したのであつた。このため被上告人は銃砲等所持禁止令及び食糧管理法違反として略式命令により罰金一万円に処せられ正式裁判の結果罰金四千円となつた」。

（判決理由）「右のように上告人が被上告人の家庭内の秘事を摘発して被上告人を罪におとしたことはそれがもともと被上告人に罪責があるとはいえ、また夫婦の仲が破局の最後の段階に達している際であるとはいえいやしくもまだ夫婦である限りまことに夫婦道に違反し夫たる被上告人の名誉もしくは面目を著しく毀損するものであつて改正前の民法第八一三条第五号の重大なる侮辱にあたるものと称すべきである。然らば右と同一趣旨に出でた原判決は正当であつて所論のような違法なく論旨は理由がない」（最判昭二七・六・二七民集六・六・六〇二）。

大審院は、犯罪行為があると確信すべき相当な理由がある場合には、その告訴は不当ではなく、非難に値しないから、相手方に責任なく、したがつて離婚請求は認められない。といつたのに対し、最高裁判所は、家庭内の秘事の摘発は夫婦道に反するとして、離婚請求を許した。これらの判決を統一的に理解しようとする者は、前者は告訴の対象が配偶者に直接利害関係がある場合であるが、後者は銃砲等所持禁止令および食糧管理法違反という直接の利害関係がない場合であつて、両者を同列に論じることはできない、と主張する（山本笑子「夫婦の一方が他方の不正行為を摘発する行為と旧民法第八一三条第五号」民商二八巻六号四七頁太田前掲書五九頁。なお沼正也「夫婦の一方が他の不正行為を摘発する行為と旧民法第八一三条五号」法新六二巻三号五五頁参照）。

問題を、新法下においてこのような判例法が維持されうるか、すなわち「婚姻を継続し難い重大な事由」の解釈としても同様なことがいいうるか、に限定して考えてみよう。犯罪行為が主としてすでに婚姻が破綻してしまつた場合には、その後相手方がそれを摘発しても、犯罪行為によつて原告の責に帰すべき事由になるのであるから、このような原告からの離婚請求は許されない。しかし犯罪行為によつて婚姻が破綻しなかつた場合には、相手方の摘発が意味をもつてくる。「婚姻を継続し難い重大な事由」は「相手方に有責行為のあることを要件とするものではない」（【9】）から、このような場合に、摘発が相当な理由のある確信に基いてなされたかいなか、つまり相手方に責任があるかいなかは問題にならないのであつて、摘発行為によつて婚姻が破綻したと認められれば、離婚が許されるわけである。告訴の対象となつた犯罪行為が直接の利害関係あるものであつても、配偶者を告訴し、刑務所にいれた場合、配偶者がそこから出てきた後に、円満な夫婦関係が回復されることは稀だ、といわねばなるまい。

（二）　配偶者の直系尊属からの虐待・侮辱（旧八一三7）や、自己の直系尊属に対する虐待・侮辱（旧八一三8）は問題である。理論的にいえば、婚姻は当事者に帰しうる原因だけによつて破壊されるものではないから、配偶者の直系尊属を含めた第三者の侵害が婚姻を継続し難い重大な事由に該当しないということはできないし、また相手方の婚姻義務違反は必しも原告配偶者に向けられたものである必要はないのであるから（たとえば犯罪行為）、自己の直系尊属に対する虐待・侮辱が右の事由に該当しないと一般的にいいきることもできない。（反対、我妻・立石前掲書一四九頁、中川他「ポケットコンメンタール」九一頁）しかし、これらの場合にも、当事者の婚姻維持に協力すべき責任を先ず問うべきだと思う。そうだとすれば、前者の場合には、配偶者がその直系尊属からの虐待侮辱を阻止しなかつたという点で、配偶者に不作為による協力義務違反があるから、いずれにしろ離婚を認容すべきことになるが(〔63〕参照)、これに対し後者の場合には、配偶者が原告の直系尊属に虐待・侮辱を加えたのは、原告が配偶者と自己の尊属との関係を調整し、婚姻の平和維持をはからなかつたからだ、とみられることもあり、このようなときには、不作為による協力義務違反が婚姻破壊の主たる原因となつたものとして、離婚請求を棄却すべきことになる(ただし、〔21〕におけるように、原告の責任と被告の責任との差が著しくなく、したがつて主として原告の責任で婚姻が破壊されたといえない場合が少くないであろう。一の四(二)末尾参照)。

【58】　被告(妻)は父母とともに本籍地(興田村字大門)を離れ、摺沢町に居住して小学校教員をしていたが、結婚の際、被告は翌年四月小学校教員を辞め、原告(夫)と字大門の住家で同居すること、それまで原告は右の住家に単身住居し、独力で農耕を営むことが約束された。しかし被告の眼中には原告なく、父母の命に唯これ従うという態度で、被告はついに右の条件を履行しなかつた。そのうえ、長男出生の際には、原告は被告の両親から「お前はうちの娘を傷物にした、子供を拵えるには十年も早かつた、子供さえ生れなければ籍など入れないでもよかつた」と放言された。

「被告の両親においては原告を将来家を継がしむるために同人を婿として迎えたのであるが、その意図するところは専ら被告家の維持にあつて原被告の幸福は第一義的なものでなかつたことが窺われるのである。即ち……被告家においては事実上婿として迎えた原告の為に共同生活を営ましめるべき努力考慮を新婚当初より払つた事実が認められないし、又長男一信の出生後まで入籍を実現せず、相当期間本籍地所在の耕地の営農を原告一人に負わしめ、且右一信の出生に際しては子供を拵えるのは早かつた云々の言辞をも弄した事実さえこれなしとしないのである。右の如く原告の単身居住する字大門には妻である被告が継続して同居することを肯ぜず、又妻の実家においては専ら家の維持に汲々として夫婦の共同生活、共同関係を無視して憚らないような事態は明かに民法第七百七十条第五号に所謂婚姻を継続し難き重大なる事由ある場合に該当するものと解すべきである」（盛岡地昭二五・二・二七下裁民集一・二・二七六）。

旧法は、婿養子縁組などの場合の離縁を離婚原因としていたが（八一三10）、これは「家」を前提とした規定であつて、「家」を認めない新法では、このような離縁は、それだけでは婚姻を継続し難い重大な事由にならない、というべきである（中川善之助監修「註解親族法」一四四頁、同他「ポケット・コンメンタール」九一頁、反対・同編「註釈親族法」(上)二七七頁）。しかしこの点についての判例は見当らない（婿養子縁組の場合の離婚を離縁原因にならぬとした神戸地昭二五・一一・六下裁民集一・一一・一七六二参照）。

(三)　配偶者に同居義務または協力義務違反の行状がある場合に、それが悪意の遺棄の範囲にははいらないけれども、婚姻を継続し難い重大な事由にあたる、ということもありうる。

【59】【36】と同一事案。昭和一六年三月被告（妻）は、安楽な生活を望んで、勝手に実家に帰つてしまい、以来別居。昭和二四年一月原告（夫）は訴外太田町子と事実上結婚、二子をもうけた。

「原被告間に破綻を来した主因は、昭和十六年以来の長年月に亘る別居生活であつて、その別居に至つた事情はむしろ被告の責に帰すべき事由に基くのである。被告がその我儘から無理に別居生活に入り、夫の愛情をつなぎとめるについて何等の方法も講ぜず、昭和十七年末頃原告からの復帰要求に対しても単に他人を介して交渉するが如き態度で終始し……遂に昭和二十年八月六日原告より離婚訴訟の提起を見たのであつて、こうして原被告間の溝は愈々深くなつて行き、昭和二十二年一旦訴は取下げたけれ共、昭和二十三年十一月に原告は再び離婚の意思を被告に表明している、而して太田町子との関係が結ばれたのは昭和二十四年一月からであつて、原被告間の夫婦生活が破綻に帰した後の事であるから、この事によつて破綻を来したのではない。そこで被告は未だこの結婚生活の維持に希望を捨てないようであるが、真の愛情を持つているかどうかは疑わしく、今までの経過に鑑み、原被告の性格の相違、根本的な愛情の欠乏より将来再び円満な関係に復帰出来る見込みは全然ないと解される。かかる事情にある夫婦をいつまでも法律上夫婦として結びつけて置く事は諸般の事情から見て不合理であり、不可能の事であるから、こういう事情こそ即ち民法第七七〇条第一項第五号に所謂婚姻を継続し難い重大な事由に該当するものと判断する」（京都地昭二八・一一・二一下裁民集四・一一・一六三八）。

【60】　原告（妻）の母と同棲していた被告（夫）が一七歳年下の次女（原告）と関係を結び、その間に長女出生後同女と結婚、独立して建築の設計、請負業を営んだが、喫茶店に出入し、女をもち、賭博にふけつて金銭を浪費したため、得意先に不義理を重ねて信用を失い、営業上の収入は皆無となつた。被告は十分健康体でありながら、徒食するばかりで、原告に他から借金してくることを強要し、時に暴力をふるう始末であつた。

「おもうに、夫婦は互に協力して共同生活を守つて行かねばならぬものだから、場合によつては妻が夫を家に残して一人で共同生活の資料を得る為に他へ働きに出るということも必要であり、適当でもあろう。然し被告は健康な壮年者である。前段(1)(2)に認定したようないきさつで年若い原告を誘つて家を持ち子までも出来た被告が日々の生活費が得られぬ状況に立到りながら他に収入の道を求めず手をつかねて徒食遊楽しているのは全く夫としての義務を忘れた態度といわれても辯疏の辞はなかろうし、働ければとて幼児をかかえた若い原告一人に夫婦の生活費を得て来るように要求することはそれ自体無理である。被告が他に女をもつたといつても右は前記(3)の如く期間も短いことでもあるからこれは一時の迷と考えられぬことはないので直に離婚の事由とは認められぬ。然し被告が前記の如く原告妻子の生活を省みぬ態度は之を以てまた直に悪意を以て遺棄したものだとまではいえないとしても、原告に対し今後も引続いて認定の如き態度行状の被告と共に路頭に迷うまで添遂げねばならないとまでは命ぜられぬと考えるので、右は民法第七百七十条にいうところの婚姻を継続し難い重大な事由がある場合に該当すると認めここに原告の本件離婚請求を容れることとする」（名古屋地昭二六・六・二七下裁民集二・六・八二四）。

【61】　原告（妻）は、被告（夫）に愛想ずかしをして実家に帰つた後、昭和二四年七月被告の父が勝手に作成した離婚届を、被告を説得して作成したものと信じてこれに署名捺印、しばらくして訴外矢野勇と事実

上の夫婦生活を始めた。同二六年二月には、被告が離婚届出無効確認訴訟を起したが、一〇月になつて原告・矢野澄江間に子供が生れたので、早速婚姻届を出した——離婚の無効が確認され、さらに後婚も被告によつて取消された（宮崎地都城支判昭二九・八・九下裁民集五・八・一二四一）。

「およそ夫婦は互いに協力して婚姻を維持しなければならないのに、被告は子があるにもかかわらず、怠け者であつて家業をかえりみず、父清仁から毎晩のように意見されても一向に改める模様もなく、従つて父や妹夫婦とも折合が悪くて家庭に風波の絶えまがない、その上盗癖があつて、夜中の二時頃電柱から落ちて怪我をし、そのため性的不具者になつたこともある始末であつて、原告が被告との夫婦生活に希望を失い実家に帰るに至つたことは、まことに無理からぬことであつて、右のような事由は民法第七百七十条にいう「婚姻を継続し難い重大な事由」に当ることが明かである」（宮崎地都城支判昭二九・八・四下裁民集五・八・一二四五）。

三　婚姻破綻について当事者双方に責任がない場合

（一）　両配偶者に離婚意思はあるが、感情や財産の問題から、協議離婚も調停離婚も調わず、審判離婚もされなかつた場合には、ただちに離婚請求を認容すべきである（一の四（三）参照）。

【62】　原告（夫）はどちらかというと暗い性格で、「被告（妻）本人というより被告家の資産に歓心を持つて当時重用されていたオルガノ商会での地位を抛擲して被告方の家業である農業に専念するため希望と夢を抱きつつ被告と婚姻したのであるが、他方被告は自己の性格と冀望からして原告の人物・学歴等には尙あき足りないものがあり」「原告に対し愛情に代えるに常に批判と冷視とを以てのぞんだため、互の生活に満たされないものがあり、何時しか事毎に対立を露呈するに至つた」。「終に原告は斯る状況に耐え切れなくなり、昭和二三年暮頃から実家に帰つて被告と別居生活に入つたのである」。

「被告は既に原告に対する愛情を失い、原告との結婚生活を維持する意思は毛頭なくなり、むしろ原告に対し嫌悪と反感の念のみがその心を領するのであつて、原告も亦当初に抱いた被告との結婚生活に対する希望は今や捨て去るに至つた。斯くてこれまでの経過や当事者双方の性格からすると、原被告が将来再び円満な関係に復帰できる見込は全くないと思われる。およそ夫婦は愛情により結合されるものである処、その間に不和や失望や嫌悪が生じたときは、道徳はこの不自然な、従つて不徳となつたところの結合の解消を命ずるのであつて、しかも夫婦関係に破綻をきたした原被告が、真に離婚を求めている場合に於て裁判所が法律上の離婚原因が認められないとして敗訴させて強制的に夫婦として同じ屋根の下に同棲させることはかえつて人倫に反することになるのであるから、こうした事情は民法第七百七十条第一項第五号の定める離婚原因、すなわち婚姻を継続し難い重大な事由に当るものと言うべきである」（長野地諏訪支昭二六・六・二五下裁民集二・六・八〇八）。

（二）　相手方に離婚意思がない場合にも、婚姻を継続し難い重大な事由があれば、離婚を許容することになる。

【63】　原告（妻）は、家父長制農家の長男である被告（博忠）のもとに嫁いだが、被告は腰を強打したのが原因となつて、不具者になつてしまつた。被告が不具者となつたため、たださえ口喧しい家父は一層不機嫌となつて原告に辛く当り、被告も家父に同調するので、原告はたまらず実家に逃げ帰つた。原告の実家がこれをかばつて、被告家と対立反目した。

「若し原告において真に被告博忠に強い愛情を抱き一度嫁して子までなした上は困難に耐えて子を育み夫に協力する意力があり、被告博忠も亦聡明に一家の融和と原告の指導に全力を尽したなら、又周囲の者が真に原告と被告博忠とその子供の幸福のみを念願してこれを守り育ててやる真の親心があつたなら、たとい被告博忠が不具となつても猶結婚生活の破綻はなく現在の事態に立到らなかつたであろう。然しそのようなことを期待することは人夫々の資質性格があつて通常仲々容易ではなく本件においては到底望まれないところである。結局現在もはや全く夫並にその一家に希望を失い絶対に婚姻継続の意思のない原告を、しかも原告の実家と被告家とが仇敵の如く非難悪口し合つている状態の下に、単に法律上の夫婦の名において被告博忠に結びつけておくことは、（被告博忠が真に原告に自己を世話してもらいたい意思があるのか、それとも意地と腹いせのためそのように主張するのか、その真意の如何にかかわらず）両性の合意のみに基いて成立し相互の協力により維持さるべき婚姻の理念に全く反し、原告は勿論被告博忠にとつてもむしろ不幸を重ねるものというべきであつて、これは民法第七百七十条第一項第五号に規定する婚姻を継続し難い重大な事由ある場合と解する外はない」（高知地昭二七・六・二三下裁民集三・六・八七九）。

（三）婚姻を継続し難い重大な事由のなかには、前記婚姻の本質に照して（六の一）、いわゆる性格の不一致、愛情の喪失などもはいるものと考えられる（末川博「民法」（下ノ二）一〇六頁中川善之助「民法大要」七〇頁）。

【64】原告（夫）の長兄秀作は子供がなかつたので、弟である原告を準養子にしようと思い、自己の妻の妹と結婚させ、同居した。しかし被告（妻）は勝気にすぎ、女らしい優しさに乏しく、原告の親戚を冷遇して、秀作方との交際を疎遠ならしめたり、また原告に度重なる暴行を加えて、ついに原告をして家出するの已むなきに立ち至らしめた。原告は親族の間を転々と泊り歩いたが、後に新居を構えて、依田八千代と事実上の夫婦生活を送つている。

「而して認定事実によつてこれを見るのに、原告と被告との婚姻は当初本人同士の希望というよりも、むしろ家の便宜を主としてとり結ばれたものであつて、すでにその点に無理があつた。その婚姻生活は約十年に亘るが、その間戦争による五年の空白があり、両者の性格の不一致は融和の機なく、その不和はついに救うべからざる域に達している。現在その夫婦というのは単に戸籍上の名のみの関係であつて、将来再び真実の夫婦としての精神的協同生活を営むことについては、殆んどこれを期待することができないものと認めざるを得ない。もつともこのような現実の夫婦生活の破綻の責任を挙げて被告に負わしめることも不当であつて、……原告は被告とは対蹠的にはでな性格であつて、酒色を好み、従来素行が修らなくて、前段に認定した依田八千代との関係のごとき妻である被告に対する重大な義務不履行と言わなくてはならない。しかしながら……右原告と依田八千代との関係は、被告の原告に対する態度と互に因となり果となつているのであつて、むしろ証拠によれば被告との家庭生活の索莫なことが原告をしてかかる過失を犯さしめたものと言い得べく、被告亦その一半の責任を分担すべきものと認められる。以上の事実を総合考察するに、右はまさに民法第七百七十条第一項第五号に婚姻を継続し難い重大な事由があるときというのに該当する」（甲府地昭二五・四・一九下裁民集一・四・五六四）。

【65】原（妻）被（夫）告は、終戦後の住宅難の時代（昭和二二年三月）に結婚し、同棲する住居がなかつたので、双方親の家に別居し、互に訪ね合つて、夫婦生活を営んでいたが、長男晴夫出生の際、原告方に送つた産衣や着替がすべて中古の仕立直し品で、いかにも粗末な品物であつたことから、原告やその父母は被告が愛児のためにさえ失費を惜しむ冷淡な慾深い人間なのだと思い始め、結婚以来一年になるのに新居を求めないのも、原告の扶養をその父母に押しつけ、自分はその負担を免れようとしているためだ、と考えるようになり、被告が知人の離座敷六畳一室を間借できる見込がついたことを伝えたときも、同居を拒絶してしまつた。

「然しながら、原告は今や全く、被告に対する愛情を失い、被告との結婚生活の持続の意思なく、むしろ被告に対する嫌悪反感の念のみがその心を領しているのであつて、被告は未だこの結婚生活の持続に希望を捨て去つてはいないようであるが、これまでの経過や、双方当事者の性格から見て、それは将来ふたたび円満な関係に復帰できる見込はないと解される。もとよりこのようになつた……主な原因は、やはり、原被告間にやむを得ず行われた別居生活であろう。……それ故に……原被告のいずれが、この結果について特に責任があるともいえないのであつて、ただその結果が原被告に対する愛情の喪失となつて現れたといえるだけである。かくて夫婦の一方が、相手方に対する愛情を全く失い、その結婚生活の継続を嫌悪するに至り、しかも将来再び夫婦として結びつく見込がない場合、これを法律上の夫婦という名の下において結びつけておくことは不当であり、不可能なことでもあるから、こうした事情もまた民法第七七〇条第一項第五号の定める離婚原因、すなわち婚姻を継続し難い重大な事由に当る」（神戸地昭二五・一〇・一一下裁民集一・一〇・一六三二）。

家族制度的な心情の持主が家族制度的な動機から自発的に愛情喪失を理由に離婚を求めた場合に

は、家族制度的な夾雑物を除去し、個人本位の考察を加え客観的に婚姻継続の能否を決すべきである。このような観点からみるとつぎの判決には疑問がある。(阿比留兼吉「家族制度に基因する離婚の判例批評」ケース研究二八号三八頁、なお一の四（二）および六の二（二）参照)。

【66】 原告（妻）は神経病の母と二人で、田地約七反を耕していたが及ばず、原告方に迎えた被告（夫）は胸椎および腰椎カリエスとなつて臥床してしまつた。被告は二年ほどして全治したけれども、農に勤しむ健康体となることは覚束ない。この間村の寄合出合に男手を要するときも叶わぬ状態で、原告の苦労一方でなく、原告はようやく被告に対する愛情を失つた。

「凡そ夫婦は一旦婚姻した以上時に夫婦の愛情に起伏の波あるも能くお互に家庭の維持に努力し身体を害するとも或は精神上多少の障りが生ずるとも相倚り相扶け以つて終生の伴侶として人間的使命を全うしなければならない社会的義務あることは今更多言を要しないところであつて生業を維持し得るか否かはそれ自体婚姻を破る正当の要素となり得ないものであるが、他面又家の制度が廃された今日と雖も家族的共同生活を打捨てたものでなく能う限り親が子を護り子が親の行末を見守ることは扶養の法律上の義務を俟つ迄もなく人倫の大道である。ひるがえつて本件を観るに原告は両親に仕え生業たる農を維持する決心固くその心は環境として已むを得ないところであつてそのために将来農家の中心となつて働き得る人を夫として求めたいと思う念より被告に対する夫婦としての愛情を失い回復すべきもない状態にて婚姻継続の意思を失つたことは詮なき次第で又深く咎め難いから、被告の立場に一掬の同情の念を禁じ得ないものがあるが右事実は民法第七百七十条第一項第五号に所謂婚姻を継続し難い重大な事由に該当するものと謂うべし」(津地昭二九・一一・二九下裁民集五・一一・一八〇〇)。

四　婚姻を継続し難い重大な事由に該当しない場合

前に述べたように(一の二参照)七七〇条一項一号ないし四号にあげられた離婚原因は、五号の「その他婚姻を継続し難い重大な事由」の例示としての意味をもち、したがつて五号の離婚原因の具体的な内容を定めるに当つてその標準を示すものだ、とされる。つまり婚姻を継続し難い重大な事由とは、不貞行為、悪意の遺棄、強度の精神病、三年以上の生死不明と同程度の重大な事由でなければならない、というのである（中川他・前掲ポケットコンメンタール九一頁）。この解釈を徹底すると、たとえば悪意の遺棄にならない同居・協力扶助の義務違反や心神耗弱程度の精神病はどのような場合にも婚姻を継続し難い重大な事由にならないことになる。

しかし重大な事由とは、一般的にどの場合においても重大であるとの謂ではなく、個々のケースにとつて重大であるとの意であつて、換言すれば、婚姻生活の回復が客観的に不可能とみられるほど深く、もしくは著しく婚姻を破壊した事由というほどの意味である。新法下の婚姻の本質からみて、深くもしくは著しく破綻した婚姻の解消を許すのが、「婚姻を継続し難い重大な事由」の真義ではないかと思う（六の一参照）。判例も、このような基本的解釈にそつて展開されている（五号に該るとした例については、とくに六の二(三)参照）。

【67】【52】と同一事案。

「民法は一般に婚姻を継続し難い重大な事由の存在を裁判上の離婚原因としているから、夫婦の一方が精神病にかかつているが、軽症であり、且回復の見込もあるために離婚の原因とならない場合でもその事実と他の事実を併せて考えるときは、離婚を求めている当事者にその婚姻生活の継続をこれ以上強制することは無理であると認められるような場合には、その夫婦の離婚は許容せられなければならないものと解すべきであるが、右事由があるかどうかはその夫婦の婚姻生活の一切の事情を参酌して判断すべきであつて、被告側や子供等のことを考えないで原告の都合だけを考慮するというようなことは許されないところであるといわなければならない。……被告の立場からみれば……右発病は女手で幼児を抱えて空襲を受けたことによる衝撃とこれに続く避難のための心身の過労が原因となつているものと考えられるから、……右発病は原告が戦時下に危険な神戸市内に妻子を残して、自分一人だけが、安全な朝鮮で暮し、子供等の監護と留守宅管理の責任を挙げて被告一人に負担させていたことにもよると考えられるのである。加うるに被告は精神分裂症といつても軽いものであつて狂暴な行為をする悪質なものではなく、現在は治癒の状態にあつて未だ単独で社会生活を営むことができないとは言え、主婦として日常生活をする能力はあるのであり、被告が社会生活を営むには理解ある家庭の精神的な保護が必要であるのに被告には原告を措いて他にこのような保護を期待できる親類がないのである。そして被告は一日も早く原告の下に戻つて原告と円満な家庭を営むと共に自ら子供の世話をすることを切望している。……又子供の立場からみれば、精神病を患つたことのある母親を持つているということは近所でも学校でも随分肩身の狭い思いをすることであろうし、病後の被告は母として十分子供のために尽すことができないかも知れないが、原告と被告とが離婚したところで親子の血族関係がなくなるわけではないし、既に認定した通り被告は子供を大事にする性格であり、空襲下留守宅が全焼した際も、子供等を護り無事に避難させてそのために精神病が発病した位であつて、現在も自ら子供の世話をすることを熱心に希望しているのであるから子供等が原告に養育される場合と、原告と被告が離婚し原告が再婚して子供等が継母の世話を受ける場合とを比較するときは子供等の幸福は肉親の母の下に養育せられることにあることは論を待たないところである。……以上諸般の事情を考慮するときは、その際原告は戦時下に留守宅を守らせた償いの意味もこめて、傷ついた被告を深い愛情と理解とを以て迎え入れ、家庭の主婦としての生活をさせながら、精神的、物質的な保護を与えて現在残存している病的症状が一日も早く回復するように善導するべく、被告も勝気な性格や、我儘な性質をあらためて、原告の保護と指導に従い、一日も早く健全な夫婦生活を営むことができるように努力すべきであつて、右の如く現在の諸事情を慎重に考慮するときは、原告と被告との間には婚姻を継続し難い重大な事由があるということができない」（大阪地昭二七・九・一三 下裁民集三・九・一二五二）。

【68】原告（夫）はハルピンで軍属をしていたが、昭和二〇年七月応召した。間もなく終戦となり、ソ連に抑留されたが、同二二年九月日本に帰還した。被告（妻）は原告応召当時ハルピンの陸軍官舎に居住して

いたが、原告応召後消息が不明であつたところ、二五年四月被告から実兄に宛て、南支の第一線で元気に従事している旨の書信があつた。そこで原告は発信地宛数回手紙を出したが、いずれも送達不能で返戻された。

「甲第三号証によれば、被告は自ら好んで中国に留まつているのではなく、むしろ一日も早く故国へ帰還することを希望して居ることが推認されるし、一面日本政府は勿論その他各方面に於て中国やソ連の抑留邦人の帰還について種々交渉が続けられていることは顕著な事実であつて、被告の帰還は必ずしも絶望とはいえないから、右原被告主張のような事実だけでは未だ以て右婚姻を継続し難い重大な事由とは認められない」（新潟地長岡支判昭二五・一二・二七下裁民集一・一二・二〇七七）。

財産分与請求

市川四郎

財産分与に関する裁判例は、他の問題についてのそれに比して、極めて僅少である。特に最高裁判所の判例は殆んど見当らない。下級裁判所の判決や審判はこれまでのところ、その性質上制度の基本的、理論的な問題についてあまねく触れているとはいい得ない。この点において財産分与に関する総合判例研究の困難さが痛切に感ぜられた。今後における裁判例の増加とわたくしの不断の研究とによつて漸次本稿の不備を補つていきたいと念願している。

一 序説

離婚の効果として配偶者の一方から他方に対して財産上の給付をなす制度は、諸外国の立法例においては主として離婚扶養の名のもとにかなり早くから認められていた。たとえば、一八〇四年のフランス民法では「配偶者が何等の利益をも付与せられなかつたとき、又は約定された利益が離婚の目的を達した配偶者の生存を確保するのに足るものとは認められないときは第一審裁判所は相手方配偶者の収入の三分の一を超えない扶養定期金を該配偶者の財産の上に付与することを得る。此の扶養定期金は必要でなくなつた場合において撤回することを得る」(三〇一条)と定め、一八九六年の独乙民法は「単独に有責と宣告せられた夫は離婚した妻に対しその身分に相応する扶養をなすことを要する。但し妻がその財産の収入中から生計を支弁し得ないとき又は夫婦のなした生活事情に従い妻が労働による所得を為す慣習ある場合には妻の労働収入中から生計を支弁し得ないときに限る。単独に有責と宣告せられた妻は離婚した夫に対し身分に相応する扶養をなすことを要する。但し夫が自活し得ない場合に限る」(一五七八条)と規定し、一九二九年の米国カリフォルニア州民法は「離婚が夫の過失により行われるときは裁判所は婚姻よりの子の扶養及び配偶者双方の事情を顧慮した上正当と認める扶養料を妻の扶養のためその終身又はそれより短い期間支払うべきことを夫に命令することを得る。裁判所は時に応じこの命令を変更することを得る」(一三九条)と規定し、また一九三〇年の中華民国民法は「夫婦の過失を有しない一方が判決による離婚により生活困難に陥るときは、他の一方は無過失であつても相当の扶養費を給付しなければならない」(一〇五七条)と定めているのである。

しかるに、わが国では、昭和二十三年（一九四八年）一月一日実施の改正民法がその第七六八条においていわゆる財産分与の制度を創設するまで、かかる離婚による特別の給付を認めた法規はなかつたし、離婚扶養を認めた大審院の判例も存在しなかつた。ただ、一般不法行為の理論にもとずいて無責の配偶者から有責の配偶者に対し離婚による慰藉料を請求し得ることが認められていたに過ぎない。もつとも、明治二十三年（一八九〇年）の民法制定の際元老院に提出された案文の中には「裁判所ハ離婚ノ裁判ニ於テ曲者タル一方ヨリ直者タル一方ニ養料ヲ給ス可キヲ命スルコトヲ得此養料ノ義務ハ養料ヲ受ク可キ者ノ再婚シタルトキハ止ム」（一一六条）なる規定を包含していたが元老院の審議において削除されたこと、明治三十一年（一八九八年）の民法原案初稿に「夫婦ノ一方ノ過失ニ因リテ離婚判決アリタルトキハ其一方ハ他ノ一方カ自活スルコト能ハサル場合ニ於テ之ヲ扶養スル義務ヲ負フ前項ニ定メタル義務ハ夫婦ノ一方カ死亡シ又ハ扶養ヲ受クル権利ヲ有スル者カ再婚シタルトキハ消滅ス」（八二九条）と規定されていたものがその後の修正によつて削除されたこと、大正十四年（一九二五年）の臨時法制審議会による親族法改正要綱に「離婚ノ場合ニ於テ配偶者ノ一方カ将来生計ニ窮スルモノト認ムヘキトキハ相手方ハ原則トシテ扶養ヲ為スコトヲ要スルモノトシ扶養ノ方法及ヒ金額ニ関スル当事者ノ協議調ハサルトキハ家事審判所ノ決スル所ニ依ルモノトスルコト」（一七）と定めたことおよび昭和二十一年（一九四六年）の臨時法制調査会による民法改正要綱に「離婚したる者の一方は相手方に対し相当の生計を維持するに足るべき財産の分与を請求することをうるものと」することが定められていたこと（一七）はわが国においても諸外国の立法例におけると同様離婚扶養の制度を採用しようとする意図が数十年の久しきにわたつてかなり根強く存在していたことを立証するものといえよう。昭和二十三年の改正民法第七六八条は、右要綱から「相当の生計を維持するに足るべき」という字句を削除して財産分与について規定したので、従来の伝統的離婚扶養の形態とは稍々その趣を異にする。従つて、これをもつて直ちに離婚扶養と同一内容のものと判断することは早計であり、離婚扶養に関する諸外国の理論をそのままこれにあてはめることも不可能である。されば、財産分与の性格、限界、額決定の基準等をめぐる学説は区々であつていまだ帰一するに至らず、しかも民法改正と同時に実施された家事審判法は財産分与に関する処分を家庭裁判所の審判事項と定めているため（九条一項乙類五号）、事件は大部分家庭裁判所において解決され、高等裁判所または最高裁判所の裁判を受ける機会は極めて稀れであり、裁判例によつて財産分与に関する取扱上の疑義を解き得るまでにもいたつていないというのが実情である。本稿は乏しいながらも、これまで手許に集め得た裁判例を中心として順次財産分与に関する問題について一応の検討を試みようとするものである。

二　財産分与の性質

財産分与に関して民法第七六八条は「協議上の離婚をした者の一方は、相手方に対して財産の分与を請求することができる。前項の規定による財産の分与について、当事者間に協議が調わないとき、又は協議をすることができないときは、当事者は、家庭裁判所に対して協議に代わる処分を請求することができる。但し離婚の時から二年を経過したときは、この限りでない。前項の場合には、家庭裁判所は、当事者双方がその協力によつて得た財産の額その他一切の事情を考慮して、分与させるべきかどうか並びに分与の額及び方法を定める。」と規定し、同条は裁判上の離婚の場合にも準用されている(七七一条)。すなわち、夫婦が離婚した場合には、その効果として離婚した夫婦の一方は他方に対して財産分与を請求する権利を有することを明かにしているのである。しかしながら、この条文から財産分与が法律上いかなる性格を有するものであるかを把握することは必ずしも容易ではない。従つて、財産分与の性格についてのこれまでの学説もいまだ確定的といい得るまでにいたつていないのが実情である。それら学説を大別すれば、(イ)財産分与を夫婦財産関係の清算であるとするもの、(ロ)財産分与は離婚後の扶養であるとするもの、(ハ)財産分与は一種の生前相続であるとするもの、(ニ)財産分与は離婚賠償であるとするものの四種となるのであるが、このうち財産分与が夫婦財産の清算であるとする点において学説はほぼ一致し(中川善之助民法大要七一一頁、末川博新版民法(下の一)一一六頁、我妻栄・立石芳枝親族法相続法一三七頁、川島武宜民法(三)六四頁、有泉亨法律学講座(親族法相続法)五八頁、田中実「財産分与の一考察」法学研究二八巻四四頁以下等)。財産分与が扶養的性格を有するとする点においても多くの異論はない。これに反して財産分与が生前相続の性格を有するかどうかおよび財産分与に賠償的意義を包含せしめるべきであるかどうかについては議論が分かれている(前者についての積極説は中川善之助他註解親族法一二二頁川島前掲、後者についての積極説は田中前掲論文五五七頁以下、宮崎孝治郎・新婚姻法一九二頁以下)。また、財産分与に関する紛争を処理する裁判所がこの財産分与の性格をどのように理解するかはそれら紛争事件の解決に極めて重大な影響をもたらすものであることはもとより論を待たないところであるが、この点については最高裁判所の判例はいまだ存在せず、下級裁判所の裁判例もまた必ずしも明確であるとはいい難い。

一　夫婦財産関係の清算

財産分与が夫婦財産関係の清算であるとする考え方の理論的根拠は、夫婦の婚姻中に取得する財産は実質的には夫婦の共有に属するという点に存する。すなわち、夫婦が婚姻前から所有していた財産は婚姻中も各自の所有であるけれども、婚姻中に取得した財産は、たとえ名義上は夫婦の一方の所有であつても、その取得には必ずや他方の直接間接の協力が与つて力あるものであるから、いわば実質的共有関係にあるものであり、財産分与はこの共有財産に対する持分の取戻を要求するものにほかならないというのである。この関係を通常の夫婦の婚姻生活についていえば、夫は社会に出て労働に従事し対価収入を取得するに対し、妻は家庭にあつて家事労働に従事する。妻の家事労働は別段の対価を伴うものではないけれども、いわゆる内助の功として夫婦の経済生活においては夫の収入と同程度に評価さるべきものであるから、妻は離婚の際に夫の財産取得に寄与した部分を財産分与として請求するということになるのである。次の判例はこの理を明かにしたものといえよう。

【1】　「民法第七六八条の立法趣旨を考えて見ると、婚姻継続中は夫婦は一体を為して社会的に活動するのであつて、夫婦の一方が婚姻中に自已の名で得た財産も直接間接に配偶者の協力があつて初めて取得せられ維持せられたものであるから、配偶者は其の取得又は減少防止に協力した点に於て其の財産につき一種の持分的権利を有するものというべきであるが、婚姻関係が円滑に継続している間は、此の持分を法律上の権利として其の財産を夫婦の共有とすることは実益もなく、適当でもないから、法は各財産を夫婦各自の特有財産たらしめると共に離婚又は死亡による婚姻終了の場合には各人の財産に対する持分を表面化し、離婚の場合には財産分与請求権の形で（死亡の場合には相続権の形で）其の持分の取戻を認めたものというべきである。」（福岡高決昭二九・一二・二 五家裁月報七・一・三六）。

【2】　「元来離婚による財産分与の制度は婚姻中夫婦又はその一方が取得した財産及びその減少を防ぐこ

とができた財産は人倫上、一心一体たるべき夫婦の共同生活から湧出した果実に他ならないから本来夫婦の共有に属し……」（仙台地判昭三〇・一二・二八昭二九(タ)二六号）。

財産分与の性格を以上のように婚姻財産の清算と解する場合には、婚姻中夫婦が協力して得た財産の多寡およびいわゆる内助の功すなわち妻の家事労働に対する適正な評価が極めて重大な意義を有することとなる。婚姻中に取得した財産は殆んどなく、その大部分が特有財産または婚姻中相続によつて得た財産であるという場合でも、その減少を防止するのに協力した範囲でこれに対しても財産分与の請求ができることは右【1】【2】の判例の説くところによつて明かではあるが、減少防止に対する協力を適正に評価することは家事労働に対する評価以上に困難であつて、実際上問題にはならない。たとえ協力によつて得たと認められる財産が多くとも、妻の家事労働に対する評価が一般に甚だしく低いわが国の現状においては、かかる財産に対する共有持分の取戻だけでは離婚する妻の将来の生活を保障することは到底覚束ない。しかも多くの場合、離婚する妻は将来の生計を保障するに足る特有財産をも所有していないのが実際である。ここにおいて、学説も判例もともに財産分与の本来の性格が共有財産の清算にあることを認めつつ、さらに現実の需要を充足するために殆んど不可避的に他の性格をもこれに付加しようと試るわけである。

二 離婚後の扶養

そこでまず考えられるのが離婚後における配偶者の一方から他方に対する扶養ということである。

【3】「次に原告の被告に対する財産分与の請求について判断するに元来この制度は臨時法制審議会の民

法親族編の改正要綱（第十七）に定められた思想の発展とみることができる。然るところ同要綱はこれを「離婚に因る扶養義務」とし離婚の後に一方が「将来生計ニ窮スルモノト認ムヘキトキ」の救済としているのであつて、新法による財産分与制度の解釈適用に当つても、夫婦の一方が現実に多くの場合生活能力に乏しい妻であるが、離婚により直ちに生活の危険に直面するのを黙認すべきではないということに留意しなければならない。しかし新法による財産分与の制度は法文の上から言つても単にこれに止まるものではない。この制度の中心的な根拠をなすものは、婚姻共有財産制の思想とみるべきで、夫婦の共同生活は、妻の有形無形の協力扶助いわゆる内助の功に負うものであるから、婚姻中に夫婦の一方の取得する財産はもとより婚姻生活を通じてその維持し得た財産は実質的には夫婦の共有に属するとなすもので、もとより正当といわなければならない」（京都地判昭二五・八・一七下級民集一・八・一三〇五）。

【4】「思うに離婚による財産分与の制度は婚姻中に夫婦の一方が取得する財産はもとより、婚姻生活を通じてその維持し得た財産は、夫婦の共同生活における協力関係からいつて、実質的には夫婦の共有に属するものとみて、離婚の場合これを清算するというのが中心的な根拠をなすものであるが、他方また離婚後の配偶者の扶養の意味もこれを無視することはできないのであつて、……」（大阪地判昭二九・四・二八下級民集五・四・五五四）。

【5】「財産分与は、離婚に際し、夫婦の協力程度等婚姻生活における過去の事情を顧慮し、併わせて、離婚後の夫婦双方の事情を考慮に入れて、婚姻中取得した夫婦間の財産関係を清算するとともに、扶養の意味をもかねて夫婦の一方が他の一方を離婚することによつて直ちに路頭に迷わしめざることを目的としてされるべきものであつて……」（仙台地判昭三〇・一一・二二下級民集六・一一・二四一二）。

これらの判決はその立言方法に多少の差違はあつても、夫婦共有財産の清算に財産分与の中心的根拠を求めつつ、離婚後の扶養の面も財産分与の性格として無視し得ないことを強調している。また、次の審判例のように財産分与が共有財産の清算たる性格と離婚後の扶養たる性格とを併わせ有することを前提として財産の清算としての財産分与額と扶養としての財産分与額とを明確に区別して算定しその支払を命じているものもある。

【6】「叙上諸般の事情を綜合すれば相手方から申立人に対して共同生活の清算として即金二万円と離婚後の申立人の生活扶助として——中略——四〇カ月間に亘つて毎月金二千円宛を主文の如く財産分与（申立人は離婚に伴う慰藉料請求権については訴訟手続により請求しなければならないものであつて、申立人として訴訟提起の資力がないから、財産分与において相手方の不法行為を一つの斟酌事情として考慮せられたいと云う）として支払わしめるのを相当として主文の通り審判する。」（東京家審昭三一・三・一九）。

では財産分与におけるかかる扶養的性格の理論的根拠は何処に存するのであろうか。この点についてまず指摘されるのは【3】の判決がいつているような制度の沿革的意義であつて、条文の形態が離婚扶養から財産分与に転移した経過から考えて立法者の意思はこれに扶養的性格を持たせようとしたものと解釈されるということである。しかしながら、このないわば制度史的意義だけでは財産分与に扶養的性格が付与されなければならぬ理由を解明することはできない。その真の理論的根拠はこれを夫婦の相互扶助に求めるほかはないと考えられる。すなわち、夫婦は婚姻中相互に協力扶助する権利義務を有し、この権利義務は未成熟子に対する親権者の扶養の権利義務と同様、一般の親族扶養よりも強力なものと観念されているのである。そして夫婦はかかる相互扶助の関係があればこそ婚姻における共同生活の保持のために専念することができるのであり、殊に妻の場合には特有財産や職業等の自活手段をそのための犠牲に供することすら少くないのである。然るに、離婚はかかる相互扶助の期待を喪失させるものである。もちろん、離婚によつて生活困窮に陥る者のために親族扶養の制度があり、親族扶養によつて救済することのできない者のためには生活保護法による扶助の制度が存在するから、離婚後の扶養について考慮する必要はないということも一応はいえる。現に旧民法はこの立場をとつていたわけである。しかしながら互に協力し扶助しつつ婚姻生活を維持してきた夫婦が不幸にして離婚のやむなき状態に立ち至り、しかもその一方が離婚によつて忽ち路頭に迷うおそれのある場合に、婚姻中の相互扶助を延長し親族扶養や生活保護に優先して、他の一方に扶養の義務を負わせることは決して不自然でないばかりでなく、むしろ衡平の観念に照らし当然のことといわなければならないのである。これまでの判例中にはこの点にまで論及したものは見当らない。さらに、財産分与を離婚後における扶養であると観念するとき、扶養義務者たる配偶者の一方が有責である扶養権利者に対する財産分与を拒否し得るか否かは一つの重要な問題である。配偶者の一方が離婚によつて生活困窮に陥るおそれがあるにしても、その者が離婚につき有責であるかぎり他方はこれに対する扶養義務を免れるべきであるというのが一般の社会通念に合致する解釈といえよう。しかしながら、現在のように相対的離婚原因を認める自由主義離婚法のもとにおいては、たとえ離婚困窮者が有責であつても配偶者の一方は扶養義務を免れることはできないといういわゆる無過失主義の理論が擡頭しつつあることも看過することのできない事実である。この問題についても解答を与えた判例はいまだ存在しない。

三　損害賠償

財産分与に損害賠償的性格を認むべきであるか否かについては積極、消極の両説がある。積極説の論拠とするところは、近代法のもとにおける離婚は著しく合理化され、離婚原因に対して配偶者のいずれが有責であるかを追求することよりも婚姻の継続が可能であるか否かということが離婚請求権の主たる内容であることは相違ないけれども、少くとも現段階においてはなお倫理的、感情的要素を無視することは無理であり、婚姻を継続し難い事由を作為した配偶者に対する一種の制裁、非難もまた離婚請求権の内容として承認せざるを得ないのであるから、財産分与には賠償的性質をも帯有せしむべきであるというのである。これに対して消極説は古くから離婚給付を認める諸外国において近時制裁的観念から脱脚して漸く配偶者間における有責、無責にかかわらず、衡平な財産の分配へと推移しつつある傾向を指摘し、当事者に対する責任追及は一般不法行為による賠償の理論に委ね、財産分与には損害賠償的要素を含ませないことが妥当であるというのである（佐々木宏「財産分与制度の性格」家庭裁判月報八巻一号二三頁以下、板木郁郎「離婚の際の財産分与の性質について」立命館法学四、五合併号八五頁以下）。判例はこの点について、

【7】「夫婦の協議離婚に際して夫が多年に亘つて苦楽を共にした妻に対し財産を分与するのは、離婚される妻に対する慰藉を与え特に老後の生活を保障するために行われるのが通例であつて、……」（札幌高判昭二五・五・三一下級民集一・五・八四一）。

【8】（〔3〕と同一事件）「民法第七百六十八条は「当事者双方がその協力によつて得た財産の額」のほか「その他一切の事情を考慮」すべきものとして具体的妥当性の実現に努むべきことを規定しているから、この意味においては、離婚の原因を与えたものが、どちらであるかということも「分与させるべきかどうか並に分与の額及び方法を定める」について決して無視し得ないであろう。」

【9】（〔1〕と同一事件）「分与の額を算定するについては――中略――離婚するに至つた原因が何れに在るか、其の一方が将来生活に窮すると認むべきか等の事情を全然無視することも正義公平の要求に合しない……。」

と判示している。【7】は賠償的性格を容認するものの如く解されるが、【8】【9】はいずれも分与

額を決定するについて配偶者の有責無責を考慮すべきであると説くのみで、賠償が財産分与の本質的要素であるとまでは明言していない。思うに、離婚による損害賠償（慰藉料）も不法行為の一態様であり、義務者の故意過失を絶対的の要件とすることは民法の規定（七〇九条・七一〇条）自体に徴して明かであるばかりでなく、その請求権は損害を知った時から三年の時効によって消滅し（民七二四条）、かつこれを請求する方法も家事調停の申立（家審法一七条）をするほかは通常の訴訟手続によらざるを得ないのに反して、財産分与については民法はその規定の上に分与義務者の有責を特に要件とすることなく、その請求権も行使方法は家事審判と定められ、原則として通常の訴訟手続により得ないばかりでなく、離婚後二年間を経過すれば審判の申立をすることもできなくなるのであって（民七六八条二項但書）、かように両者がそれぞれ別個の観念として規定されている点を考慮するならば、財産分与には損害賠償的性格は含まれないものと判断するのが至当であり、通説もまた消極説に傾いているようである。後出【15】の判例は両者がその本質を異にすることを明かにしている。なお、財産分与と慰藉料との関係については三の二参照。

四　生　前　相　続

財産分与に生前相続としての性格を認めようとする説は、財産分与が現実に果す作用が配偶者の一方死亡の場合に生存配偶者に対して与えられる相続権に類似する点に着目するものといえよう。すなわち、夫婦の財産関係は婚姻または離婚によって影響を受けないのが原則であり、各配偶者の特有財産は離婚後も特有財産であり、共有財産は離婚後も共有たることを失わない。それと同時に、配偶者の一方が他方に対し婚姻によって取得した相続権は離婚により消滅する。この原則を変更するには特別の契約をするか法律の規定を必要とするが、民法第七六八条はかかる原則に対する例外を定め、離婚した配偶者の一方は他方に対し財産分与の請求をなし得ることを認めたものであるから、財産分与はその実際の働きにおいて生前相続を認めたことになるというのである。財産分与をこの意味に解するならば、配偶者の離婚に対する責任の有無を厳しく究明する必要のないことはもちろん、財産分与には離婚した夫または妻という身分があれば十分であり、財産造成についての協力寄与等の事情は考慮される必要がないという結果となり、財産分与に関する規定からは甚だ遠いものとならざるを得ない。その故に、配偶者の相続分を基準にして分与額を算定すればよいという実際上の便宜はあつても、一般にはいまだ通説として支持されるに至つてはいない。財産分与の本質を生前相続であると判示した判例はもとより見当らない。ただ、次の判決のように離婚する配偶者の財産状態としてその一方の他方に対する相続の期待権を考慮すべきことを指摘したものは存在しないわけではない。

【10】「財産分与については、控訴人主張のように先ず当事者双方がその協力によつて得た財産の額を考慮すべきであるが、これに配偶者たる控訴人の財産状態（婚姻関係が継続され、万一被控訴人が死亡した場合において控訴人は少くとも被控訴人の財産の三分の一を相続すべき権利を保有している）控訴人が被控訴人の家業たる農業に従事し、家事につとめて来たことなど諸般の事情を検討して分与すべきか否か、分与すべき場合はその額及び方法を勘案すべきであつて……」（東京高判昭三〇・九・二九 昭二九（ネ）一九四五号）。

三　財産分与の限界

財産分与については、その性格と関連して考慮されなければならない三つの重要な問題がある。その一つは内縁関係を解消した当事者に財産分与請求権があるかどうかであり、その二は財産分与と慰藉料との関係であり、他の一つは財産分与と子の養育料との関係である。

一　内縁解消と財産分与

民法の規定する財産分与は法律上の婚姻をした夫婦が離婚した場合に関するものであるから、内縁関係にある事実上の夫婦が離別する場合にこれをそのまま適用し得ないことは当然である。しかしながら、婚姻と内縁とは性的共同生活というその実質面においては何等異るところはなく、単に戸籍法上の届出を経たか否かが唯一の差異であるから、離婚に相当する内縁関係解消の場合に民法の規定を準用して当事者に財産分与請求権を認めるべきではないかという議論の生ずることもまた当然のことといわなければならない。

内縁は当初いわゆる「婚姻予約」の名のもとに判例上その不当破棄に対する損害賠償の問題として法律的効果を認められたが（大判大四・一・二六民録二一・五二）、その後「夫婦ノ事実存スル」ものとして（大判大一一・六・三民集一・二八〇）あるいは法律上の妻と「同視スヘキ関係ニアル者」として（大判昭七・一〇・六民集一一・二〇二三）、換言すれば内縁そのものとして共同生活関係自体に対する保護を受けるに至り、その法律的効果も戸籍法上の届出を前提とする氏、親族関係、嫡出親子関係、重婚、相続関係等は格別、貞操を守る義務（東京地判昭五・一〇・八新聞三一九〇）、同居ならびに協力関係（大阪地判昭六・八・六新聞三三一二）内縁の夫殺害者に対する損害賠償請求（大判昭七・一〇・六）等については判例もすでにこれを認め、契約取消権、夫婦財産制についても多くの学説は民法の規定を準用して内縁の法的効果を認むべきであると主張する。そればかりでなく、最近の社会立法はおおむね内縁を「事実上婚姻と同様の関係にある」ものとして保護する傾向を示している（例えば国家公務員災害補償法一六条、失業保険法二七条一項、優生保護法三条等）。かかる情勢のもとにおいて、かつ財産分与の性格を前記のとおり夫婦財産関係の清算および離婚後の扶養であると解するにおいては、内縁関係解消に対する財産分与制度の準用を否定しなければならぬ理由は何等存在しないように思われる。もつとも、内縁関係を解消した事実上の妻に財産分与を認めた裁判例はこれまでのところ次の審判をあげることができるのみで、この点については積極、消極とも最高裁判所の判例はもとより、高等裁判所の判例もいまだ存在しない。

【11】「内縁離婚に財産分与の規定は適用せられるべきか否かについて反対的な見解があるが、これを消極に解する理由はないと解する。蓋し婚姻と内縁の形式的な相違は前者は届出という外部に対する法定の公示手続がなされているのに対して、後者はこれを欠くだけであり従つてその実質的の相違はこの対外的関係においてのみ存するにすぎないのであつて、夫婦間の対内的法律関係においては婚姻と内縁とに差別を設けるべき理由はないからである。而して財産分与の趣旨を離婚に際しての夫婦間の財産関係の清算であり或は又無責配偶者の有責配偶者に対する生活扶助請求権であると解するにおいては前示説示に基き財産分与に関する事項は夫婦間の対内的関係として内縁については特に婚姻の場合と差別する理由はない。尤も財産分与については配偶者の一方の死亡による婚姻解消に際して他の配偶者に相続権を認めたと同一趣旨にて生前離別による相続が財産分与であるという考え方もあるが、これは畢竟夫婦間の財産関係の清算ということに帰するのであるから、内縁の配偶者に相続権を否定しても財産分与を否定すべき理由とならない。加えるに内縁を括一的に考察せず或る種の内縁については財産分与請求権は勿論のこと適宜相続権も認め、又或る種の内縁については相続権は勿論のこと財産分与請求権も認めないというように内縁を段階的に考察するのが家事事件解決に際して実情に添う所以であるということが考えられる。而してこの区別は当事者間の婚姻意思の確定性と、それの一つの現われである内縁の対外的関係における公示性の程度如何により段階を認めるも

のであつて、例えば当事者間に精神的、肉体的にも又経済的にも永年夫婦生活がなされ、その親族、知己関係者は何れも届出がなされていると信じられているような程度の場合には、既にその内縁は婚姻と実質的に区別はないから届出を前提とする戸籍記載以外の婚姻の効果に関する法の規定は広く適用せられるべきであるが、これに対して当事者二人の精神的結合は強くとも、それが人目をしのんで夫婦生活を営んでいる程度においてはその公示性の程度が低いから配偶者相続権を否定し、更には当事者間に婚姻の意思があり又事実上の肉体関係が継続されているが、共同生活形態の稀薄なものには公示性が殆んど存しないからその程度に応じて財産分与請求権は順次逓減稀薄となり、遂にはこれらの請求権は否定されるに至るばかりでなく、公示性を全然欠如しているときは、婚姻意思も不確定なことも多かろうから、かかる場合は内縁の成立まで否定せられ、単に婚約の成立を認めうるにすぎないような場合もあろう。更にはその程度によつては、婚約の成立さえも認め得ない場合もあろうが、何れにしても具体的事案について決定することになる」(東京家審昭三一・七・二五)。

この審判の前段において説示するところはまことに至当というべきである。しかし、その後段「加えるに云々」以下は内縁の定義従つてまたある男女の関係を内縁と認めるか純粋な意味における婚姻予約と認めるかそれとも単なる野合に過ぎないものと認めるかの認定問題であり、内縁をもつて婚姻の実質を具備した事実上夫婦と同様の関係と定義するかぎりむしろ蛇足の感があるばかりでなく、前段の理論を不明確なものとするのではなかろうか。けだし、内縁が法律上保護されるに値するのはその婚姻意思ならびに公然性において婚姻と異るところがないからであり、純粋の意味における婚姻予約ですら法律上保護されるには「男女ガ誠心誠意ヲ以テ将来ニ夫婦タルベキ予期ノ下ニ此ノ契約ヲ為シ全然此ノ契約ナキ自由ナル男女ト一種ノ身分上ノ差異ヲ生ズルニ至リタルトキ」(大判昭六・二・二〇新聞三二四〇)でなければならないのであつて、将来婚姻する意思とある程度の公然性とを必要とするのである。

二　財産分与と慰藉料との関係

（一）　財産分与と慰藉料とは本来別個の観念であつて、財産分与の性格には慰藉料的要素は含まれないものと解すべきことについてはすでに前に述べた。では財産分与と慰藉料とは全く無関係であるかどうか、もつと具体的にいえば、財産分与を決定する上に慰藉料は全く斟酌する必要はないかどうかについては、これを斟酌すべきではないという説（板木前掲論文）もあるけれども、多くの学説は少くとも財産分与の額を定めるについて慰藉料は無視せられるべきではないとしている。思うに、財産分与に慰藉料的性格を帯有せしめることの可否は別として、この両者が極めて密接な関係を有することは容易に首肯し得るところであり、財産分与制度の存在しなかつた旧民法当時においてすら、次のいくつかの判決に示されているように、離婚による慰藉料の額を定めるについていわゆる妻の内助の功や老後の生活――財産分与的要素――が考慮に入れられていたという事実は両者の関係の緊密さを立証する資料とするに足るものと考える。

【12】　「仍テ其ノ精神上ノ苦痛ノ程度延イテ慰藉料ノ額ニ付按スルニ原告被告ハ固ト大正十年頃相互間ニ慇懃ノ情ヲ通シ後両親等ノ同意ヲ得テ正式ノ夫婦ト為リタルモノニシテ其ノ同棲ヲ始メタル当時ハ被告ハ富士製紙株式会社江戸川工場ノ一人夫ニ過キスシテ生活モ極メテ裕福ナラサリシカ其後原告ノ実父訴外高橋太郎吉ノ斡旋ニヨリ土木請負業木下組ニ入ルヤ原告モ亦木下組ノ人夫ノ賄ヲ為ス等専ラ内助ニ努メ相当ノ蓄財ヲ為シ本訴提起当時ニハ原告主張ノ如キ五棟ノ貸家ヲ有シタル程ニシテ（尤モ其価格カ原告主張ノ如クナルコトハ之ヲ認定シ難シト雖モ）被告ノ地位モ漸ク上進シテ現在同組ノ人夫監督ニシテ原告ハ被告ニ対シ所謂糟糠ノ妻ナルコトハ――中略――ノ各証言ニ依リ之ヲ認定シ得ヘク此事実ト――中略――トヲ参酌スルトキ

ハ今ニシテ被告ヨリ前示ノ如キ所遇ヲ受ケタルコトニ因ル原告ノ精神上ノ苦痛ハ相当甚大ナルモノト認ムヘク之カ賠償トシテ被告ニ支払フヘキ慰藉料ハ金一千円ヲ以テ相当トス」（東京地判昭八・二・一五評論二二・五・民四九一）。

【13】「仍テ進ンテ其数額ニ付按スルニ甲第一号誌及証人風間れん伊東俊雄ノ証言ヲ綜合シテ認メ得ヘキ原告たつカ被告ト明治四十年三月十八日婚姻シ爾来昭和二年一月十八日迄引続キ同棲セル事実原告たつハ当年四十九歳ニシテ婚姻当時殆ト無資産ナリシ被告ハ原告ノ刻苦二十年ノ内助ノ功ニヨリ漸ク産ヲ為シ東京府下南千住町及東京市下谷区龍泉寺町ニ数百坪ノ借地権ヲ有シ其地上ニ家屋ヲ建築所有シ一ケ月約六百四五十円ノ賃料ヲ取得シオル事実ヲ参酌シ慰藉料ハ金三千円ヲ以テ相当トス」（東京地判昭四・三・二二新聞三〇三六）。

【14】「被告（反訴原告ニシテ妻）カ原告ヨリ遺棄セラレ離婚スルノ已ムナキニ立至リタル結果其ノ心神ニ多大ノ痛苦ヲ蒙リタルコト又老境ニ入リタル今後ノ寡婦ノ生活ニ少カラサル打撃ヲ与フヘキコトハ蓋シ自明ノ理ナルヲ以テ原告ハ被告ニ対シ相当ノ慰藉ヲ為スヘキ義務アルモノト謂ハサルヘカラス」（東京地判昭一三・三・二九新聞四二七三）。

最近の裁判例のうち次にあげる最高裁判所の判決は、「現行民法においては離婚の場合に離婚をした者の一方は相手方に対して財産分与の請求ができるから、離婚につき相手方に責任があるの故をもつて、直ちに慰藉料の請求をなし得るものではなく、その離婚原因となつた相手方の行為が特に身体、自由、名誉等の法益に対する重大な侵害であり不法行為の成立する場合に、損害賠償の請求をなし得るに過ぎないものと解すべきである。」という上告人の主張に対してなされたものではあるが、一応財産分与と慰藉料との関係に触れた判例として重要な意義を有する。

【15】「離婚の場合に離婚した者の一方が相手方に対して有する財産分与請求権は必ずしも相手方に離婚につき有責不法の行為のあつたことを要件とするものではない。しかるに、離婚の場合における慰藉料請求権は、相手方の有責不法な行為によつて離婚するの止むなきに至つたことにつき、相手方に対して損害賠償

を請求することを目的とするものであるから、財産分与請求権とはその本質を異にするとともに、必ずしも所論のように身体、自由、名誉を害せられた場合のみに慰藉料を請求し得るものと限局して解釈しなければならないものではない。されば、権利者は両請求権のいずれかを選択して行使することもできると解すべきである。ただ両請求権は互に密接な関係にあり財産分与の額および方法を定めるには一切の事情を考慮することを要するのであるから、その事情のなかには慰藉料支払義務の発生原因たる事情も当然に斟酌されるべきものであることは言うまでもない。ところで、これを本件について見ると、被上告人は本訴において慰藉料のみの支払を求めているのであつて、すでに財産分与を得たわけではないことはもちろん、慰藉料とともに別に財産分与を求めているものでもない。それ故、所論の理由により慰藉料の請求を許されずとなすべきでないこと明らかであるから、所論は理由がない」（最判昭三一・二・二一民集一〇・二・一二四）。

すなわち、この判決は財産分与と慰藉料とは密接な関係があるから、慰藉料請求前すでに財産分与が得られている場合にはその額は慰藉料の額を定める上に斟酌せられ、反対に慰藉料が先に支払われた場合には、財産分与の額を決定する上に慰藉料の額が考慮されるべきであるとの趣旨を明らかにしているものといい得る。

(二)　そこで、財産分与と慰藉料とが同時に請求された場合に裁判所が現実にこれをどのように取り扱つているかをみるに、

(1)　訴訟の場合　原告は必ず慰藉料とは別に財産分与の請求をすることを裁判所に対して明らかにしなければならない（人訴一五条参照）。従つて、裁判所も原則として財産分与と慰藉料とを区別し各別にその金額を算定している。すなわち、

【16】　「原告本人尋問の結果によれば被告豊（筆者註――夫の父）は水田六反畑七反の外家屋敷の不動産

を所有することを認めることができるが被告直哉（筆者註――夫）が財産を有することは之を認めるに足る証拠がない而して婚姻継続の期間離婚に至る原因が前記認定の通りである（筆者註――婚姻継続約三年、その間長女出生したが死亡。夫直哉は婚姻後二年を経た頃から特殊飲食店で遊興を始め、従業婦と性的関係を結んだ。その後妻に無断で他の土地に転住就職し、一年以上の間一回も原告に便りをせず、妻や媒酌人からの同居請求に対して離婚するから実家に帰えれというのみで全く妻を顧みなかつた。以上の事実は不貞の行為があつたときと悪意をもつて妻を遺棄したときに該当する。）本件にあつては諸般の事情を斟酌し離婚に際し被告直哉が原告に分与すべき財産の額（慰藉料等一切を含む）は十五万円を相当とする」（熊本地山鹿支判昭三〇・四・二〇昭二八（タ）一号）。

のように財産分与の額と慰藉料の額とを一括して認めた例もあるけれども、多くは次の判決のように両者を判然と区別している。

【17】「被告（筆者註――夫）本人尋問の結果と真正に成立したものと認める甲第五号証の一（久留美村長作成証明書）とによれば、被告は田八反一畝二十歩（この賃貸価額合計百六十七円八十五銭であつて、これを基準とし「自作農創設特別措置法及び農地調整法の適用を受けるべき土地の譲渡に関する政令」の定める強制譲渡の場合の最低価額を算出すれば四万六千九百九十八円となる。同施行令第十四条等参照）、山林一反五畝（この価額は少くとも五千円）、宅地百二十三坪、建坪三十七坪七合の木造平家建草葺居宅、建坪十三坪の木造瓦葺平家建物置各一棟を所有し、昭和二十四年一月被告等兄弟等がよつて設立した資本金百万円の合資会社山村武夫商店に金十五万円を出資し（この会社は純資産二十一万円のほか取立不確実だが約八十万円近い売掛代金債権をもつている。）その代表社員をつとめ、月約一万円の給料を受けているのであつて、その資産は少くとも三十万円を下らぬものと認められる。他方原告はその本人尋問の結果によつて明かなように、年はすでに五十歳を越え、何の資産もなく収入を得べき職なく、またその年齢経歴等から見て将来就職、再婚の機会はまずないものといわねばならず、たよるべき子もない（この点は前記甲第一号証で明

かである）身の上であること、ならびにさきに認定したように、被告と結婚以来約三十年被告を助けて家事に当り、殊に農業は被告よりむしろ原告が主としてこれを営んで来たこと、及び前述の如き離婚を決意するに至るまでの諸事情（筆者註——被告がばい毒の症状を感じたことから何等の確証がないにかかわらず、原告の素行を疑い、電燈もなく畳もなく僅かに上敷を敷いた部屋に別居させた。しかも原告は相変らず被告のために田畑の耕作、山仕事に専念し、その素行についても被告をして疑わしめるような行動は一切なかったにかかわらず、被告はその後約二年の間原告をこの状態のまま放置して同居を許さず、夫婦関係も結ばず、主食類をこそ支給していたものの妻の地位にふさわしからぬ窮況にさらして顧みなかつた。原告はこうした生活をつづけるうちろいれきにかかり苦しんだが、その治療費はもとよりまかなえず、被告は依然として復帰を肯じないため原告も遂に被告との離婚を決意するに至つた。）等諸般の事情を考慮すれば、原告に対して分与されるべき財産は金七万円が相当であるし、その慰藉料は金五万円が相当であると認める。」（神戸地判昭二六・二・一五下級民集二・二・二〇二）。

【18】「原告（筆者註——妻）が昭和六年二月被告と婚姻以来被告を扶けその生活の資として内職に励み、或は妻として家事を担当し被告の放縦なる生活に堪えて忍び難きを忍び今日に及んだ事を考えれば被告は原告に対し相当額の財産を分与し且離婚に因り原告の蒙る精神上の苦痛に対し慰藉料を支払うべき義務があること勿論である。そして当裁判所は右認定事実（筆者註——婚姻継続約二十四年、子供三人、夫は巡査。結婚当初は生活も楽でなかつたので妻は裁縫等の手内職によつて家計を補助し、最初は家庭円満であつたが、結婚後十数年を終た頃から夫に情婦ができ、妻子や家庭を顧みなくなつたために夫婦間に紛争絶えず、夫は妻に暴力を振い三日内に家を出て行けと命じ、それに応じなかつたところ、深夜自動車を呼んで妻と子供等を無理に乗せ妻の兄の許に送り届けたことなどもあり、妻も遂に意を決して離婚調停の申立をしたが不成立に終つたので訴訟を提起するに至つた。）に成立に争なき甲第二号証、証人〇〇の証言及原被告各本人の供述により認め得べき原告の生活状況報告の資産関係今後の原被告の生活収入状況その他諸般の事情を斟酌するときは右慰藉料は金十万円、財産分与の額は金二十万円を夫々相当と認める」（大阪地判昭二九・一二・一七下級民集五・一二・一

一九八一)。

【19】 (イ)原告(妻)被告とも再婚、婚姻継続約八年、被告に先妻との間の子四人あり、(ロ)被告は菓子製造業で一時は使用人百名を抱える程繁昌したこともあるが事業に失敗して以来工員十五、六人を使つている程度、(ハ)被告は気性激しく原告を叱咤することが多く時には殴ることもあつて家庭内に風波が絶えず、数回実家に逃げ帰えつたことがある。その間被告は原告の親戚にあたる娘と情を通じたこともある。たまたま、原告が被告に対する不平不満を他人にもらしたことが被告の耳に入り、原被告の争いとなり被告が原告に対し出て行けと放言したため原告は意を決して被告方を出てそれ以来別居している。(ニ)被告は宅地合計約六百坪、建坪二十四坪の二階建木造家屋一棟、建坪四十坪の工場一棟を所有しているが、約百万円の借財のために宅地には抵当権が設定せられ、あるいは差押を受けている。被告の事業は資金が乏しいために不況である。(ホ)原告はかつて被告からダイヤモンド入帯止および指輪各一個、金時計二、三個買い与えられ、衣類も十分に与えられた。――以上の事実を認定した上離婚原因としては婚姻を継続し難い重大な事由に該当するものと認め、被告から原告に対して慰藉料金六万円、財産分与金十二万円を支払うことを相当とする旨判決した(名古屋地判昭三〇・六・一昭二九(タ)二七号)。

【20】 (〔5〕と同一事件) (イ)原告(妻)と被告とは婚姻後二十数年間同棲、その間に一男三女の出生を見た。(ロ)原告は明朗で勝気な性格である反面、被告は性来女色を好み、短気粗暴で時折原告に対して暴力を振うことがあつたが、特に飲酒して帰宅した際等は一層はげしく最近益々悪化の傾向があつた。そのため原告は被告の乱行に堪えかね里方に引き揚げたが、被告はその後は他の女と情を通じその家に入り浸つている。(ハ)被告は高等小学校卒業後一時養蚕試験所に勤めたが、現在は田約一町三反、畑約二町一反、宅地五百六十二坪、建物百五十一坪を所有して農業を営み、部落内では中流に属する。(ニ)原告は高等小学校卒業後被告と婚姻し家業たる農業に精励してきた。その間被告は約一年半応召留守し、又被告は多くの部落内の名誉職に従事し多事多忙で家業の維持については原告の力に与るところが多大であり、農地改革においても田約一町一反、畑約二反を自作農創設特別措置法によつて取得した。(ホ)原告は明治四十五年生れで現在では農業に習熟し離婚後は再

婚の希望もなく、子女のすべてを引き取り協力して農業を営み生計を立てる計画である。被告は明治四十一年生れでまだ働き盛りである。――以上の事実を認定した上被告から原告に対し財産分与として原告希望どおりの農地を譲与し、慰藉料として二十万円を支払うことを相当とする旨判決した（仙台地判昭三〇・一一・二三下級民集六・一一・二四一二）。

また、次の判決のように妻に対しては本訴において財産分与と慰藉料の請求を認容するとともに、夫に対しても反訴において妻に対する慰藉料請求を認めた例もある。

【21】　控訴人（妻）の実家および被控訴人方がいずれも田畑一町五反を耕作していた専業農家で、控訴人が被控訴人方にいた三年余の間、控訴人は一般家事のほか、家人とともに農耕に従事していたこと、附近の農半雇女の一箇年の給料が約三万円であることその他一切の事情を考慮して被控訴人が控訴人に支払うべき財産分与の額を五万円と定めるとともに、慰藉料につき「本件離婚によつて各当事者はいずれも精神上に苦痛を生じたことはみやすいところであるが、そのことにいたる原因は両者の側にあり、しかもいずれもそれ自体では決定的な原因と認められないが、両者が互いに、かつ他の事情と相まつてその婚姻関係に破たんを来たしていることは前認定のとおりで、結局双方の事情は本件離婚に対して相当因果の関係に立つものと認めるべきであるから、当事者互いに相手方に対して慰藉料を支払うべき義務がある。」と判示して本訴において被控訴人から控訴人に三万円、反訴において控訴人から被控訴人に二万円の各慰藉料の支払を命じた（東京高判昭二八・六・一五東京高時報四・二・民五〇）。

これに反して、次の判決は原告（妻）の財産分与請求を認めたことは被告の原告に対する損害賠償請求権を否定したことになるとして反訴による被告の損害賠償請求を拒否している。

【22】　「反訴請求原因たる事実は既に原被告の離婚を認定するに当り資料とし、更に原告の財産分与請求権の判断資料とし、原告の主張を理由あるものとして被告に対し原告に二万円の支払を命じ、被告（反訴原告）の損害賠償請求を結果的に否定しているのであるから、被告の反訴請求はもとより失当として棄却すべ

きものである。」（長野地諏訪支判昭二六・六・二五下級民集二・六・八〇八）。

⑵　家事調停の場合とは訴訟の場合とは稍々趣を異にし、申立人は通常財産分与と慰藉料とを区別することなく一定の金額を請求し、調停調書に表示される金額も両者を区別せず財産分与または慰藉料いずれかの名目で、あるいは「財産分与ならびに慰藉料」として一括した金額を記載しているのが一般である。このことは調停において両者を区別して金額を算出することが実際上不可能であるということを意味するものではない。家事審判官や調停委員会は多くの場合、事実の調査によってそれぞれの事案につき財産分与の額および慰藉料の額についての一応の考えはもっているのであるが、現実にこれを調書に表示する段になると、たとえば不貞行為の場合のように慰藉料支払の義務あることを当事者双方とも異議なく認める場合は格別、双方とも離婚についての責任が相手方にあると主張して譲らないような場合には、財産分与の名義を用いることは了承しても、慰藉料の名義で金銭を支払うことに難色を示すことが極めて多く、やむなく財産分与の名のもとに慰藉料的な金額をも一括して表示することとなるのであり、仮りに慰藉料を表示することを認める場合でも、両者の各金額を判然と明示することを嫌う場合には「財産分与ならびに慰藉料」として一括した金額を表示することになるのである。

⑶　家事審判の場合　家事審判の対象となり得るのは財産分与だけであり慰藉料は含まれないから、この両者が同時に審判において請求されるということは理論上起り得ない。しかしながら、名目はたしかに財産分与の審判を求めるということになっていても、実際上両者は密接な関係を有するために、殊に両者を切り離せばどうしても慰藉料については訴訟を提起しなければならぬ煩雑

さがあるために、慰藉料の要素をも含めて審判をしてもらいたい気持でその申立をしていると認められる場合の多いことは否定することのできない事実である。前掲【6】の審判中に「(申立人は離婚に伴う慰藉料請求権については訴訟手続により請求しなければならないものであつて、申立人として訴訟提起の資力がないから、財産分与において相手方の不法行為を一つの斟酌事情として考慮せられたいという)」と記載していることは、かかる申立人の気持を卒直に表現しているものといえるであろう。

三　財産分与と子の監護費用との関係

離婚による財産分与と子の監護養育費とは全く別個の観念であり、たとえば、妻が離婚後における子の監護者と定められた場合に、夫に対して財産分与のほか監護費用の請求をもなし得ることはもとより当然である。しかしながら、かかる監護費用も離婚した父母双方の資力に応じてその負担額が決定されるのが原則であるから、財産分与額の多寡は監護費用の負担額に影響を及ぼさないわけにはいかない。すなわち、前の例で、妻が夫から受ける財産分与が多ければ、妻の資力はそれだけ増大するわけであるから、場合によつては、夫に対してことさら監護費用を請求することが不当と認められることもあるであろうし、妻の受ける財産分与が僅少であり、夫はなお多くの財産を有する場合には、そのほかに相応の監護費用の請求が認められて然るべき理由がある。次の判決は、説くところ簡単ではあるが、財産分与と監護費用の関係について右の理を判示した趣旨と解することができるであろう。

【23】　(〔3〕と同一事件)「原告は被告に対し長女が成年に達するまで一カ月五千円の割合による監護費用の支

払を求める申立をしているけれども、前段認定の原被告双方の経済状態と原告を同女の親権者と定め、金三十万円の限度において原告の被告に対する財産分与の請求を認容したことを考えると、親権者たる原告が自己の費用負担において、同女を引取り監護するを相当と認めるから、原告の右監護費用支払の申立は之を失当として却下する。」

四　財産分与請求権の行使

一　財産分与請求権行使の方法

財産分与は第一次的には離婚する当事者が協議でこれを定め、若しその協議が調わないか協議をすることができないときは第二次的に家庭裁判所に対して協議に代わる処分を請求することができることになつている（民七六八条二項本文）。

（一）　協　　議

協議をする時期については別段の制限はないから離婚届出の前後を問わない。協議が離婚届前になされたときは、離婚の届出によつてその効力を生ずる。離婚後の協議については、離婚後二年を経過すると協議に代わる処分を家庭裁判所に請求することができなくなるから（民七六八条二項但書）この期間内にするのが適当であることはいうまでもない。離婚届出前になされた財産分与契約については民法第七百五十四条の規定による取消の問題を生ずることがあるが、この点に関しては次のような判例がある。

【24】　「元来夫婦間において為した契約は婚姻中何時にても夫婦の一方よりこれを取消すことができるけ

れども該契約の取消は正常な夫婦関係を前提としてのみ容認せらるべきものであつて夫婦関係の既に破綻に頻し離婚することを当事者双方が了解しているが如き場合には特別の事情の変更のない限り夫婦間の契約を取消すもその効果を生ぜないものと解すべきところ本件についてこれを見るに控訴人被控訴人間の夫婦関係は円満を欠き既に破綻して離婚することを双方了解していることは前段認定の如くであつてその後双方離婚の意思を翻したことその他特別の事情の変更が認められないから本件贈与の取消はその効果なきものと謂うべく……。」（高松高判昭二七・六・一六民集五・六・二三七）。

この判決は旧民法当時、夫が妻以外の女と一家を構えて同棲し自宅に帰えらないため親族立会の上家屋を妻に分与し子女の養育の資に当てる契約をした後に夫がその契約を取り消した事案につき「夫婦関係カ円満ヲ欠キ破綻ニ瀕セル際親族ノ協議ヲ経テ為シタル夫婦間ノ契約ハ民法第七百九十二条（筆者註――現行法第七百五十四条）ニ依リ之ヲ取消スコトヲ得サルモノトス」と判示した大審院の判例（昭一九・一〇・五民集二三・五七九）を踏襲するものであつて、新法のもとにおいても【24】の判決のように財産分与契約に関して夫婦の契約取消権を制限することはもとより至当なことといわなければならない。夫婦の財産分与契約が詐欺によつてなされた場合には民法総則の規定によりその財産分与の意思表示を取り消し得ることは当然である。次の判例はこのことを明かにしている。

【25】　「本件十五万円の支払契約が民法第七百六十八条所定の離婚に因る財産分与の性質のものであることは原告のその旨の主張に対し被告の争わないところであるのみならず前記各証人の証言と被告本人の供述とにより認められるのである。そこで問題は原告が被告に対し真実は情夫と将来同棲するため被告と離婚を欲するのであるにかかわらずこの事を秘して表面は自己の身体に障碍があつて夫婦の勤めができないからと偽つて離婚を申出で、被告はこれを信じ離婚を承諾しこれに基き為された被告の財産分与の意思表示は詐欺

に因る意思表示として取消すことができるかどうかの点である。この点につき考察するに、――中略――離婚の動機原因は分与の可否、額、方法を定めるについて斟酌すべき事項であることは明らかである。ところで本件の場合原告に情夫がありこれと同棲することが離婚の動機原因であることを被告が知つていたとするならば被告は離婚には応じたであろうが、本件十五万円を支払うべき旨の契約を為さなかつたであろうことは被告の供述によりこれを認定することができる。即ち被告は原告の前記虚構の申出を誤信して本件契約を締結したものであるから被告がこれを取消したことは正当であると断じなければならない」（新潟地長岡支判昭二六・一一・一九下級民集二・一一・一三三〇）。

この判決の事案の場合、財産分与契約が取り消されても離婚の効力に影響のないことはもちろんであり、かつ妻に財産分与をすべきでないと断定したものでもないから、当事者がさらに財産分与について協議し、あるいは離婚後二年内に家庭裁判所に調停または審判の申立をすることももとより差支えない。

また、財産分与契約が書面によるものでない場合に、民法第五百五十条の規定によつて取り消し得るか否かについて、新憲法施行後新民法施行前になされた財産分与に関するものではあるが、次のような高等裁判所の判決および同判決に対する最高裁判所の判決がある。

【26】（〔7〕と同一事件）「書面によらない贈与を取消しうるものと定めた民法第五百五十条の規定は軽卒な贈与者の利益を保護する趣旨に出でたものであるところ、夫婦の協議離婚に際して夫が多年に亘つて苦楽を共にした妻に対し財産を分与するのは、離婚される妻に対する慰藉を与え特に老後の生活を保障するために行われるのが通例であつて、当事者間の財産の分与も、また反証のない限り、この趣旨に出たものと認めるのが相当でありかようの分与については、もとより当事者間において相当の熟議考慮の下になされるものである以上、これを単純な贈与契約と同視して、書面によらない限りこれを取消しうるものと解するのは、正当で

ない」（札幌高判昭二五・五・三一下級民集一・五・八四一）。

【27】「原審の認定した事実によると本件契約は離婚と不可分の関係において締結されたものであり、いわば離婚協議の一条項ともいうべきものであるから、これを当事者の一方が他の一方に単に恩恵を与えることを目的とする単純なる贈与と同日に論ずべきではない。しかのみならず、被上告人は憲法施行後協議離婚をしたものであるから（原審認定）新民法附則第十条によつて民法第七百六十八条の財産分与請求権を有するものであり、右原審の認定事実によれば、本件契約は該請求権に基く契約と同性質のものであるから、その取扱も今日においては同様にすべきである。（論旨について居る様な離婚の届出と契約との時の前後の如きは問う処でない）これが右附則において遡及して請求権を認めた精神に合するものといわざるを得ない。従つて単純なる贈与に関する民法第五百五十条の如きはその適用なきものと解するを相当とする」（最判昭二七・五・六民集六・五・五〇六）。

（二）　家事審判と家事調停

家事審判法第九条第一項は民法第七百六十八条の規定による家庭裁判所の処分を乙類の審判事項と定めている（同条一項乙類五号）。すなわち、当事者は財産分与については家庭裁判所に対して家事審判または家事調停いずれの申立をもすることができるのである（家事審判法一七条）。家庭裁判所の手続が審判の申立によつて開始された場合、家庭裁判所は審判事件として事実の調査または証拠調を経て審判書を作成しこれを告知して事件を終結させることはもちろん差支えないが、調停を優先させる趣旨から、家庭裁判所は手続のいかなる段階においても、かつ特別の理由がなくともこれを家事調停に付し調停によつて解決することができるのである（家事審判法一一条）。このようにして家事調停に付された財産分与事件については、最初から調停の申立があつた場合と同様に調停の手続が開始され、その手続において調停が成立すれば、当事者の合意を記載した調停調書は確定した審判と同一の効力を有するものとせられ（家事審判法二一条一項但書）、係属中の審判事件は調停の成立によつて当然に終了する。調停が不成立に終れば、調停事件は終了して審判事件についての手続が再開され、家庭裁判所は審判によつて財産分与の許否、その額、方法等を定めなければならない。

当事者が先に財産分与の調停を申し立てた場合には、家庭裁判所は調停の手続を進行することはもちろんである。ただこの場合に家庭裁判所が何時でも事件を審判に付することができるかどうかは多少の疑いがないわけではないが、調停を審判に優先させようとする法の精神と家事審判法第二十六条第一項が「第九条第一項乙類に規定する審判事件について調停が成立しない場合には、調停申立の時に、審判の申立があつたものとみなす。」と定めている趣旨からこれを消極に解し、調停が不成立になるまでは審判に付することを得ないものと認めるのが相当である。この点についてはいまだ裁判例は存在しない。調停手続を進行した結果調停が成立すれば、その調停調書は確定審判と同一の効力を有すること審判から調停に付された事件について調停が成立した場合と異るところはない。調停が不成立に終れば、前記家事審判法第二十六条第一項の規定により調停申立の時に審判の申立があつたものとみなされて当然に審判手続に移行し、家庭裁判所は財産分与に関する審判をしなければならない。また、調停申立の時が離婚後二年以内であれば審判手続に移行する時すでに二年の除斥期間を経過していても審判を受ける権利を奪われることはない。

(三)　訴　訟

(1)　財産分与に関する処分は家事審判法によつて乙類の審判事項と定められているから、離婚当事者は財産分与に関しては訴訟を提起することを得ないものと解すべきである。けだし、家事審判法が財産分与に関する処分を審判事項と定めたことは家庭裁判所の裁判権について規定する裁判所法第三十一条の三の規定と相待つて財産分与に関する処分が家庭裁判所の裁判権に専属し、これについては通常の裁判所に訴訟を提起することは認めない趣旨を宣言したものと解されるからである。この点についてはいまだ最高裁判所の判例は存しないが、次の高裁および地裁の各判決ならびに後出【30】の判決はいずれもこの理を明かにしている。

【28】「民法第七百五十二条の規定による夫婦間の扶助に関する請求権の存否及びその程度方法を決定する事件は専ら家庭裁判所の管轄に属し地方裁判所は管轄権を有しないものと解すべきである。すなわち、裁判所法第三十一条の三第一項は家庭裁判所が家事審判法で定める家庭に関する事件の審判及び調停を為す権限を有する旨を規定し、家事審判法は、家庭の平和と健全な親族共同生活の維持を図るため家庭裁判所が同法第九条に掲げる事項について審判を行い、同法第十七条に定める事件について調停を行う旨を定めているから、家事審判法の目的及び家庭裁判所の機能に関し右に定める審判事項及び調停事件は専ら家庭裁判所の管轄に属させ、地方裁判所にはこれについて管轄権を持たせないものと定める法意と解されるのである。従つて、家事審判法第九条に掲げる審判事項については特に地方裁判所において裁判を為し得る旨の法律上の規定がない限り、地方裁判所はこれについて管轄権を有しないものである」（東京高判昭二九・五・三一不級民集五・五・七九三）。

【29】「改正前の民法においては妻は夫と同居する義務を負い、妻がこの義務に違反した時は人事訴訟手続法の規定するところに従い夫は妻に対し同居を求める訴を提起することができたのであるが、改正後の民法は其の第七百五十二条に於て夫婦の同居義務を平等の立場に於て規定すると共に家事審判法はこれを家庭裁判所の乙類審判事件と定め、同時に同法施行法は従前の人事訴訟手続法を改正し、同法中夫婦同居に関する規定を削除したのであつて、実体法である民法中には別段右同居請求につき家庭裁判所に審判を求むべき

旨を規定してはいないけれども、これは訴訟事項とするか否かの問題は手続法である家事審判法の規定に譲つたものと解されるから、結局同法の施行により昭和二十三年一月一日以降は夫婦の同居請求については家庭裁判所の審判事項として取扱われ訴訟事件として地方裁判所に提訴する途を閉されたものと解するのが相当である」（熊本地判昭二八・八・一七下級民集四・八・一一六〇）。

右二つの判決はいずれも民法第七百五十二条に規定する夫婦の同居扶助に関するもので直接財産分与には関係はないが、乙類の審判事項については地方裁判所に提訴することを得ないとする点においてその判示するところはそのまま財産分与についても当てはまるものといわなければならない。

⑵　ところで、通常の裁判所が財産分与の請求について訴訟事件として審理裁判することはできないという原則に対して一つの重要な例外が存する。人事訴訟手続法第十五条の場合がそれである。すなわち、婚姻の取消または離婚の訴が夫婦の一方から提起された場合には裁判所は申立によつて財産分与に関する処分をそれら訴訟事件の終局判決の主文においてすることができるのである。当事者は婚姻の取消または離婚の訴を提起した場合でも、財産分与については家庭裁判所に調停または審判の申立をするのが本来の方法なのではあるが、財産分与と離婚、婚姻の取消とは密接な関係があり同時に解決するのを便宜とするために法律は特にかかる例外を認めたものにほかならない。従つて、人事訴訟手続法第十五条の規定は厳格に解釈する必要があり、離婚または婚姻の取消以外の訴訟が係属している場合にはこれと同時に財産分与の処分をすることはできない。次の判決は、妻が夫に対して慰藉料請求の訴訟を提起するに際し同時に財産分与の請求をした事案に関す

るものである。

【30】「協議離婚後の財産分与は調停事件若しくは審判事件として専ら家庭裁判所において処理せらるべきもので、謂わば家庭裁判所の専属管轄に属するものである。尤も離婚又は婚姻の取消の訴を裁判所に提起したときは、人事訴訟手続法第十五条の規定に従つて、これらの訴と併合して為される場合は特に地方裁判所において、財産分与の請求についても審理判決をなし得るわけであるが、何れの場合においても財産分与の請求のみを引離して訴へることは許されない。それで此の限度においては——婚姻の取消又は離婚の訴と併合する以外の場合——財産分与の請求は民事訴訟の目的とはならない」（宮崎地判昭二九・一二・七　下級民集五・一二・一九八八）。

判示はやや明確を欠くけれども、要するに人事訴訟手続法第十五条の規定以外に家事審判事項である財産分与の請求を訴訟事件と同時に処理することを認めた法律の規定は存在しないから、慰藉料請求の訴と同時になされた財産分与の請求は許されないというにあるものと解される。この判決はまた、財産分与の請求は慰藉料の請求と併合訴訟の関係にあるから地方裁判所で審理判決することができるという原告側の主張に対して次のように判示している。

【31】（〔30〕と同一事件）「一の訴を以て数個の請求をなす場合の管轄を定めた民事訴訟法第二十一条の規定は、専属管轄の定めがない場合で而も同一の訴訟事項に依る場合に限られる。然るに本件財産分与の請求は——中略——専ら家庭裁判所に於ける調停事件若しくは審判事件として処理せらるべきもので、訴訟事件ではないから、慰藉料の請求について当裁判所に管轄権があるからと言つて、これと併合することを許されない」

人事訴訟手続法第十五条の規定によつて家事審判事項が訴訟事件とともに処理されるのは、事件取扱の便宜に出でた特別の措置であつて、民事訴訟法にいわゆる訴の併合の観念に該当しないことは同条の文言に徴しても疑いのないところである。さらに、この判決は慰藉料の請求訴訟とともに申し立てられた財産分与の請求を地方裁判所から家庭裁判所へ移送し得るかどうか、あるいはこれを職権で家事調停に付し得るかどうかの点について、

【32】（〔30〕と同一事件）「民事訴訟法第三十条によれば、訴訟の全部若しくは一部がその管轄に属しないときは、これを管轄裁判所に移送することを定めているけれ共、移送が許されるのは、訴訟の全部若しくは一部であつて、調停事件若しくは審判事件を含まないと解するから、前と同様の理由により訴訟事件に該らない本件財産分与の請求について、これを家庭裁判所に移送することも亦許されないものと考える。――中略――問題は職権によつてこれを家庭裁判所の調停に附することが可能か否かと言うことであるが、家事審判法第十八条、第十九条の規定に依り職権で家庭裁判所の調停に附することが認められるのは、所謂調停前置主義を採用する訴訟事件であるから、その必要は兎も角として、何ら定むるところのない本件の場合に、これらの規定を類推適用して職権により家庭裁判所の調停に附することも不適法と考える」

と判示しているのであるが、もとより妥当な判断というべきである。

(3)　人事訴訟手続法第十五条に関連して問題となるのは、離婚または婚姻取消の判決主文において財産分与に関する処分を定めた場合に、当事者が離婚または婚姻取消そのものには不服はないが、財産分与について不服があるときとり得る法的措置いかんということである。本案の裁判と訴訟費用の裁判との関係については民事訴訟法第三百六十一条の規定があるけれども、本案の裁判と財産分与の裁判との関係については法律は何等規定するところがない。家事審判規則によれば、家庭裁判所がなした財産分与に関する審判に対しては即時抗告をすることができるのであるから（同規則五六条・五〇条）、この問題について考えられることは、たとえ判決主文において定められた場合でも、審判がなされた場合と同様即時抗告をなし得るとする説と、判決によつてなされた以上財産分与につい

てのみの不服も控訴によるべきであるとする説とである。そしてこの控訴によるべきであるとする説はさらに無条件で控訴を提起し得るとする説と本案とともにのみ控訴を提起し得るとする説とに分かれる。これらの説のうち、即時抗告説は、審判に対する不服申立の方法が即時抗告であるとしても、離婚または婚姻取消の訴訟に附帯し判決主文に掲げてなされた審判事項に対する不服申立までもこれによらしめようとするもので明かに不当であるといわなければならない。また、控訴説のうち、本案と引き離して単独に控訴を提起し得るとする考え方は、審判事項が単独では訴訟の対象とはなり得ないものであり、法律の規定により特に訴訟に附帯して裁判されることを許されたものに過ぎないことから判断して容易に認容し得ないところである。従って、この問題に対する法的措置としては財産分与の点に不服ある当事者は離婚または婚姻取消の本案と一括してのみ控訴を提起し得るものと解するのほかはないであろう。この問題についての判例は、最高裁判所、下級裁判所を通じていまだ存在しない。稍々これに類似するものとして、控訴人が被控訴人に対し離婚の訴を提起するとともに、これに附帯して慰藉料および財産分与の請求をなし、被控訴人もまた控訴人に対し離婚の反訴を提起したところ、原審裁判所は審理の結果、一個の判決をもつて控訴人の離婚の請求を容れるとともに、これに附帯する慰藉料および財産分与の請求についてはその一部を容れ、その余を棄却し、なお被控訴人の反訴をも棄却したのに対し、控訴人は右慰藉料および財産分与の請求につき棄却された部分を不服として控訴を申し立てた事案につき、次のように判示した判決がある。

【33】（〔10〕と同一事件）「同一当事者間における数個の請求が一個の判決をもつて同時に判決せられた場合、

控訴人が不服を主張せぬ部分については、当事者は弁論の必要なく、また控訴裁判所も原判決を変更することのできぬことは当然であるが、さりとて当事者双方が不服を申し立てなかつた他の請求（本件においては離婚の請求）は、これにつき、特に当事者双方が控訴権を有せず、または附帯控訴権をも放棄した場合のほか確定を遮断せられ、なお独立に確定することなきものと解するを相当とする」（東京高判昭三〇・九・二九昭二九（ネ）一九四五号）。

二　財産分与請求権の保全

財産分与について家事調停が成立し、あるいは審判が確定するまでの間に分与義務者の財産状態に変動を生じ調停または審判で定められた財産分与が実現し得なくなることも当然に予想されることである。よつて家事審判規則は調停について調停委員会または家事審判官が調停前調停のために必要と認める処分を命ずることができると規定するとともに（同規則一三三条一項・一四二条）、家庭裁判所が財産分与に関する審判の申立があれば、分与すべき者の財産の保全について必要な処分をすることができる旨を定めているのである（同規則五六条の二・一項）。ところが調停については、かかる調停前の処分の執行力を否定し（同規則一三三条二項）、そのかわりにその処分に違反した者に対して過料の制裁を課することを規定する（家事審判法二八条一項）に反し、審判前の処分の効力については何等規定するところはない。従つて、審判前の仮の処分が執行力を有するか否かは問題である。同時に家事審判規則に定める仮の処分のほかに、民事訴訟法上の仮処分が財産分与についてもなし得るものであるか否かも従来から議論の存するところである。

（一）　審判前の仮の処分の効力

家事審判規則第五十六条の二が規定する処分の執行力の有無については積極説と消極説とがあ

る。積極説は家事審判法第十五条が金銭の支払物の引渡等給付を命ずる審判に執行力ある債務名義と同一の効力を認めていることを根拠とし、審判の形式によつてなされる仮の処分もこの効力を有するものであるとするに反し、消極説は家事審判事件の性格から審判前の仮の処分に執行力を与えることは弊害があるから、これを道義的なものとして取り扱うべきであるとし、かつ家事審判法第十五条の規定は同法第九条に定める甲類および乙類の審判についてのみ適用があり、仮の処分を命ずる審判にはその適用がないと論ずるものである。次の判決は積極説をとり、

【34】「家事審判規則第四十五条、第四十六条、第九十五条、第九十八条、第四十九条によれば、夫婦間の協力扶助又は父子間の扶養に関し家庭裁判所に審判の申立があつた場合家庭裁判所は、扶養を受くべき者の生活又は教育について臨時に必要な処分として金銭の支払、物の引渡、登記義務の履行其の他の給付を命ずることが出来る。而して此の仮の処分命令もやはり審判であり（規則第七四条参照）調停委員会の発する仮処分命令とは異り、家事審判法第十五条が適用せられ、執行力ある債務名義と同一の効力を有するものと解すべきである」（京都地判昭二六・九・二八下級民集二・九・一一五二）。

と判示しているのであるが、消極説をとる判例はいまだ見当らない。思うに、家庭裁判所が審判前の仮の処分を命ずる形式が審判であるから家事審判法第十五条の審判中にはかかる審判も含まれるという形式論は一応成り立つであろう。しかしながら、家事審判法第二章の規定の体裁や同法第十五条の規定の位置等から判断するならば、同条にいわゆる審判は同法第九条の審判すなわち甲類および乙類の審判事項についての審判のみを指し、その他の審判を包含しないものであることは明白であるから同法第十五条の規定を根拠として仮の処分に執行力ありと解することは甚だしく困難

である。従つて、右積極説の判決には賛意を表することはできない。元来、民事訴訟法上の仮差押、仮処分については極めて詳細な規定が設けられ、請求者に対しては理由の疏明があつた場合でもなお保証を立てさせる規定（民事訴訟法七四一条三項・七五六条）や保全処分を命ずる決定に対しては債務者から異議の申立をなし得る規定（民事訴訟法七四四条・七五六条）等が存在するに反して、家事審判における仮の処分については、担保についての定めはなく、不服申立の道も開いていないのであつて、これらの諸点から判断して立法者の意思は、家事審判事件の性質に鑑み、その仮の処分には執行力を持たせないことにあつたと解するのが至当のように思われる。そればかりでなく、家庭裁判所がかかる仮の処分の必要性を痛感するのは多くの場合、審判の確定するまでの間不動産の処分を禁止しようとするにあるのであるが、処分禁止は民事訴訟法第七百五十一条、第七百五十八条に定めるように、その禁止を登記簿に記入するのでなければ実効をおさめ得ないものである。しかるに、登記事務を所管する法務省民事局は、家庭裁判所が家事審判規則第二十三条の規定にもとずき、禁治産者の財産保全のため不動産の処分禁止を命ずる仮の処分をなし、所轄の登記所に対し処分禁止の登記の嘱託をした事案について、かかる家庭裁判所の仮の処分は「民事訴訟法による仮処分のような効果を生じないのみでなく、その登記をすべき旨の規定がないので、当該仮処分登記の嘱託を受理すべきものではない」（昭二五・七・二〇民事局長回答）としてその登記を拒否したのであつて、この面では実務の上でも積極説は否定されているのである。

（二）　財産分与と民事訟訴法上の保全処分

財産分与と民事訴訟法上の保全処分との関係については、財産分与の調停または審判を民事訴訟法にいう本案とみなして地方裁判所に仮処分の申請をすることができるかどうかという問題と離婚の訴に附帯して財産分与を請求する場合に仮処分を申請することが許されるかどうかという問題に分けて考察する必要がある。

(1)　財産分与の調停または審判を本案として仮処分を申請することの可否については積極、消極の両説がある。兼子一教授は「本案とは本執行のための債務名義を形成する訴訟手続を指す。したがって、債務名義を得るための督促手続や家事審判手続もこれに属する。」(増補強制執行法三一三頁)として家事審判を本案とする民事訴訟法上の保全処分の申請を認め、柳川真佐夫判事もまた家事審判はもちろん、調停についても「私の如く裁判所が実質上権利の保護に任ずる以上、その手続が民事訴訟法によると、非訟事件手続法によると、保全処分による保護から除外すべきものでないとするならば、調停申立の如きも必ずしも右本案の内から除外する実際上の理由はないと思う。」(保全訴訟一六八頁)と積極説をとっている。この問題に関する判例は、調停について、

【35】　「被申立人を債権者、申立人を債務者とする当庁昭和二九年(ヨ)第二四九号不動産仮処分申請事件につき、申立人(債務者)の申立に基き発せられた起訴命令に対し、被申立人(債権者)がその所定の期間内に本案訴訟を提起しないこと及び右提起命令の申立以前、すでに被申立人より申立人を相手方として被申立人の主張するような調停(筆者註――被申立人と申立人との間の離婚ならびに財産分与に関する調停)が東京家庭裁判所に申し立てられ、現にその手続が進行中であることは、当事者間に争がない。しかして、この種のいわゆる家庭に関する調停の申立が民事訴訟法第七百四十六条の規定する本案訴訟の提起と目すべきものであることは、同条並びに家事審判法第十七条、第十八条の規定の趣旨に鑑み明らかなところということができる……」(東京地判昭二九・四・一三下級民集五・四・四八一)。

と判示して家事調停の申立が民事訴訟法の保全処分における本案訴訟に該当することを認めているけれども、家事審判については、積極説はいまだなく、すべてが消極説をとつている。

【36】（〔28〕と同一事件）「保全すべき請求権の存否が家庭裁判所の審判事項として専ら家庭裁判所において家事審判法の規定に従つて審判すべきものである場合には、地方裁判所に対して右の請求権を保全するため民事訴訟法の規定による仮処分命令の申請をなすことは許されないのである」（東京高判昭二九・五・三一下級民集五・五・七九三）。

【37】「民法第八百三十四条による親権の喪失の宣告についての審判は家庭裁判所の権限に属し（家事審判法第九条第一項甲類第十二号）その宣告前の保全処分の申立は右の家事審判規則によるべきものであつて、これについて民事訴訟法上の仮処分の申請の許されないことは明白である」（大阪高判昭二九・六・二五高裁民集七・五・四六〇）。

【38】「本件の本案たる扶養料請求は家事審判法第九条第一項乙類第一号の審判事件として専ら家庭裁判所において同法に従い審判すべきものであり、これを本案とする仮処分もまた同法及び家事審判規則に従い非訟事件の例によりその許否を決すべきものであつて、地方裁判所は本件について本案の管轄権を有しない。本件申請は民事訴訟法にもとずく仮処分で、従つてその本案は訴訟地方裁判所に提起せらるべき筋合のところ、前示の通りそれは法律上許されないところであるから、結局本件仮処分の申請は不適法と為さざるを得ない」（東京地判昭二八・一〇・二八下級民集四・一〇・一五五六）。

これらの判決は直接財産分与に関するものではないが、その説くところは乙類の審判事項である財産分与についてもそのままあてはまるものであることはいうまでもない。

思うに家庭裁判所において現実に家事審判事件を処理する実務家の立場からすれば、積極説はまことに便宜に適つたものとして大いに賛成したいところである。しかしながら、もしこの積極説が正しいとするならば、家事審判規則に定めている仮の処分に関する規定は全く無用であるばかりでなく、むしろ徒らに法律関係を煩雑にする有害な規定といわざるを得なくなるので、現行法規のもとにおいてはやはり消極説をとる判例の立場を是認せざるを得ないであろう。

(2)　離婚の訴訟に附帯して財産分与の請求をするに際して、その請求権を保全するために民事訴訟法上の仮処分を申請することの可否については、これを積極に解するのが至当であると考える。人事訴訟手続法第十六条は「子ノ監護其他ノ仮処分ニ付テハ民事訴訟法第七百五十六条乃至第七百六十三条ノ規定ヲ準用ス」と規定しているのであつて、同条の解釈として一般には、子の監護についてのみ民事訴訟法上の仮処分をなし得る趣旨とされているけれども、同条は明らかに前条の規定を受けたものと認められるから、単に子の監護についてのみならず、財産分与についても離婚または婚姻取消の訴に附帯するかぎり、仮処分の申請をなし得ることを認めた規定と解すべきではあるまいか。もし、この問題を消極に解するならば、たとえ執行力はないとしても審判で請求する時には仮の処分が認められるにかかわらず、訴訟で請求する場合には全く財産を保全する道がないという不合理な結果となる。次の決定は、離婚の訴を提起しこれに附帯して百万円の財産分与を請求した上、本案判決確定まで毎月一万円づつの支払を求める仮処分を申請した事案についてなされたものである。

【39】　「本申請は、現に債務者との間に係争中の離婚訴訟で勝訴した場合に成立すべき財産分与請求権を被保全権利として、分与せらるべき金員の一部仮払を求める趣旨であるようにも解される。しかし、元来仮処分の内容は、債務者が本案の請求として可能であり、且つ執行し得る範囲を逸脱し得ぬものと解すべきところ、債権者一枝は、本申請において、当事者の協議又は財産分与の審判等のない限り、本案判決によつて始めて形成、実現せられる給付の対象、方法等において具体的な財産分与請求権の、現在における形成、実

現を求めているものであるから、明らかに仮処分の目的を超脱するものといわなければならない。人事訴訟手続法第十六条も、かかる本案判決以上の仮処分を許容している趣旨とは解せられない。よつて、同債権者の申請は、右財産分与請求権を本案の請求権とする点においても、認容の限りでない」（神戸地決昭三〇・一二・二〇下級民集六・一二・二六三八）。

この説示によれば、あたかも離婚の訴に附帯して財産分与を請求する場合でも、これについて民事訴訟法上の仮処分は全く許されない趣旨であるかの如く解されるけれども、そのいわんとするところは、財産分与の仮払の如く仮処分の目的を超脱したものを排斥しようとするにあつて、離婚の訴に附帯する財産分与請求権を保全するための仮処分を全面的に排斥する趣旨ではないと認むべきであろう。

三　財産分与請求権の相続

基本的な財産分与請求権は離婚者の一身に専属する権利であるから、権利者の死亡によつて消滅し相続の対象となり得ないことは疑問の余地のないところである。これに反して、具体的な財産分与請求権の相続性は財産分与請求権の本質をいかに解するかによつて異なる。すなわち、財産分与の本質を離婚後の扶養のみと解するにおいては、扶養の性質上その相続性を認め得ないことは当然であり、財産分与の本質について共有財産の清算説または賠償説をとる場合には、その相続性を認めることは理論上何等の支障はない。ところで、具体的な分与請求権について相続性を認める場合でも、何時に基本的な分与請求権が具体的な分与請求権に転移するかは多少の疑義なしとしないが、従来慰籍料請求権についてとられている「慰藉金請求ハ性質上被害者其ノ人ノ心神ノ慰藉ヲ目的トスルカ故ニ被害者ノ一身ニ専属シ被害者ノ死亡ト共ニ消滅スヘク相続人ハ之ヲ承継スヘキモノニ非ス唯被害者カ加害者ニ対シ其ノ慰藉金請求ノ意思ヲ表示シタル場合ニハ該請求権ハ金銭ノ支払ヲ目的トスル債権ト為ルカ故ニ移転性ヲ有スルニ至リ被害者ノ死亡ノ場合ニ相続人之ヲ承継スヘキモノトス」（大判昭二・一二・二四民集六・六八八）という判例の趣旨に従つて、財産分与の意思が離婚者の一方から他方に対して表示されたときと解するのが相当である。また、その意思表示は表白すれば足り、相手方に到達することを必要としない（大判大八・六・五民録二五・九六三）。次の決定はこの理を明らかにしたものといえよう。

【40】「民法第七百六十八条に定むる協議上の離婚の当事者の一方の相手方に対する財産分与請求権は其の請求を為すや否やは一に権利者の意思のみによつて決定せらるべきものであるから、離婚の当事者の一身に専属する権利であつて、其の者の死亡と共に消滅し相続の目的たり得ざる権利であると謂わなければならぬ、然し乍ら当事者の一方が財産分与請求の意思を表示し調停又は協議の成立若しくは協議に代る裁判所の処分を経て具体的な一定の金銭又は財物の給付請求権を取得するに至つたときは此の具体的な債権は普通の財産権として相続さるべきものであることは疑を容れない。そこで当事者の一方が既に相手方に対し財産の分与を請求する意思を表示し又は之を求むる為家事調停或は審判の申立を為して分与請求の意思を表示したが未だ調停又は協議が成立せず若くは協議に代る裁判所の処分を得ないうちに死亡した場合に於て財産分与請求権が相続され得るか否かに付て按ずるに法が財産分与の制度を設けたのは単に配偶者の扶養の手段を与えようとする理由だけからではなく配偶者に相続権を認めたのに対応し離婚の当事者間の公平なる財産分与の意図も亦之を包蔵するものなることは民法第七百六十八条第三項が当事者双方が其の協力によつて得た財産の額を考慮すべき一切の事情の一として之を掲げているに徴しても明かであつて仮令未だ具体的な債権取得に至らずとするも既に分与請求の意思が表示された後の財産分与請求権は調停又は協議の成立若くは協議に代る裁判所の処分を経て一定の金銭又は財物の給付請求権の取得に至るべきものであるから其の性質は普

通の財産権と化しているのであつて、一般の金銭債権と同様相続され得べき権利であると解するのを相当とする」（名古屋高決昭二七・七・三高裁民集五・六・二六五）。

この決定の対象となつた原審判は財産分与請求権の相続性を否定しているのであるが、それは基本的財産分与請求権について被分与者の一身専属権であることを説明するのみで、具体的分与請求権については何等触れるところがない。

【41】「かかる意味で同条の分与請求権は基本的抽象的請求権はかかる請求権を認めた趣旨からするも分与を必要とする離婚者に限つて認められる専属権にして請求前の処分は許されないのみならず離婚者の死亡によつて当然消滅し相続の対象にならないものと解するのが至当である」（津家審昭二六・一・三一高裁民集五・六・二七一）。

四　財産分与請求と遅延損害金ならびに仮執行の宣言

財産分与請求権は離婚の効果として発生するものであるから、離婚前協議によつて財産の分与を定めた場合には、離婚と同時に分与義務者は履行の責に任ずることとなるのはもちろん、離婚後配偶者の一方が他方に対して家事審判の申立により分与の請求をしたときは、その時から分与義務者は履行遅滞に陥るものといわなければならない。これに反し、離婚の訴提起または家事調停の申立とともに財産分与の請求をした場合には、離婚が確定しないかぎり分与義務者は履行遅滞の責に任ずべき理由のないことは当然である。また同様の理由により裁判所が離婚の判決主文において財産分与につき裁判をした場合でも、仮執行の宣言を付し得ないことは議論の余地のないところである。次の諸判決はいずれも右の理を明かにしているものであつて、もとより正当といわなければならない。

【42】（〔18〕と同一事件）「財産分与金に対する遅延損害金の請求については、元来財産分与の請求権は離婚を原因として発生するものであるから、それ以前に被告に於てこれを支払うべき義務を負担するいわれはないが、本判決確定後に於ては被告はその完済に至るまで年五分の割合による遅延損害金を支払うべき義務があると云うべく……」（大阪地判昭二九・一二・七下級民集五・一二・一九八一）。

【43】（〔17〕と同一事件）「財産分与による金員支払についてはその性質上本判決の確定によつて始めて、その支払義務が発生し、履行期となるものというべきであるから、それ以前について利息金、損害金等の支払を求め得べきでない。――中略――原告は財産分与としての金銭支払を命ずる判決についても、仮執行の宣言を求めているが、その給付義務は、さきにも述べたように、本判決確定によつてその時に発生するものであり、これを本裁判確定前に仮に執行することは許されないわけであるから、この部分についての仮執行申立は許容しない……」（神戸地判昭二六・二・一五下級民集二・二・二〇二）。

【44】（〔22〕と同一事件）「財産分与請求権は慰藉料とその性質を異にし、離婚が効力を生じたとき始めて発生するものであるから、右金二万円に対する遅延損害金は離婚判決の確定した日の翌日から民法所定の年五分の利率に従い請求することができるので、これは認容するもそれ以前に遡ることは不当であるから原告その余の請求は失当として棄却し、尚仮執行の宣言については財産分与請求権の前記のような特質に鑑みこれを付さないこととする」（長野地諏訪支判昭二六・六・二五下級民集二・六・八〇八）。

五　財産分与の決定

一　額および方法を定める基準

財産分与の額および方法については、当事者間の協議で定められないかぎり、家庭裁判所は夫婦が婚姻中に協力して得た財産の額その他一切の事情を考慮してこれを定めなければならない（民法七六八条項〕。離婚または婚姻取消の訴に付随して受訴裁判所が財産分与について裁判する場合も同様である。従つて、財産分与の額、方法等を決定するにあたつて裁判所が考慮すべきいわゆる「一切の事情」の中には何が包含されるかが問題となる。それは畢竟、各具体的な事案に則して裁判所の自由な判断に待つべき事項ではあるが、財産分与が離婚に伴うものであることから、夫婦の年齢、学歴、職業、婚姻継続期間、子供の数等がまず考慮に入れられなければならないことは当然であり、財産分与の性格をいかに解するかによつて、夫婦が協力して得た財産の額のほか、離婚後の生活能力、特有財産の多寡、離婚後における財産取得能力、離婚原因、離婚に対する責任の所在、慰藉料の額等が斟酌されることとなる。前掲【8】【9】の判例はいずれも離婚に対する配偶者の有責無責が、【10】の判例は配偶者の相続権が、【15】の判例は慰藉料支払義務の発生原因が、【18】【20】の判例はいずれも離婚後の配偶者の生活収入状況が、【25】の判例は離婚の動機原因が、それぞれ財産分与の額等を定めるについて考慮されるべき要素であると説示している。そのほか、財産分与の額および方法を決定する基準に関しては次のような裁判例に注意すべきである。

【45】（〔1〕と同一事件）「分与請求権の有無、其の額、其の方法を定めるには㈠分与義務者の所有財産が婚姻前から其の者の有する特有財産又は婚姻後其の者が相続によつて得た財産なりや否や。㈡婚姻継続中に於ける夫婦の協力の具体的な状況如何。㈢前記法条に所謂「一切の事情」として婚姻継続期間の長短、離婚するに至つた責任が何れに在るか、離婚後に於ける分与請求権者の生活程度（富裕又は貧窮）、分与義務者の分与能力の有無等を考慮しなければならない」（福岡高決昭二九・一二・二五月報七・一・三六）。

【46】「夫婦の特有財産は、財産分与の直接的対象とはならないが、この制度の本質が、離婚後における妻の生活の保障にあり、また、妻の特有財産の保持につき、夫の努力が潜在的に作用することを思うなら

ば、財産分与の請求を認容するにつき、妻の特有財産の有無、その多寡が重要な資料となるから、斯る資料も亦財産分与の間接的対象と言い得る」（長野地諏訪支判昭二七・八・二〇下級民集三・八・一一五八）。

次の決定は、原審判が財産分与の額を定めるについて財産分与請求権と慰藉料請求権とを混淆したものであるという理由で即時抗告した事案に関するものである。

【47】「離婚に伴う財産分与の額及びその支払方法については民法第七百六十八条第三項の規定するところによれば、当事者双方がその協力によつて得た財産の額その他一切の事情を考慮してこれを定むべく又抗告代理人所説のように右財産分与請求権と慰藉料請求権とを混淆してはならないことは明らかなところであり、原審判が抗告人及びその母小村みちの虐待と不信行為を責めていることも亦記録上明らかではあるけれども右虐待と不信行為とは本件離婚の帰責上重要な事柄であると共に右いしがいかに献身的に抗告人の財産蓄積に寄与したかの証左ともなるもので、右民法第七百六十八条第三項所定のその他一切の事情に該ることが明らかであつて抗告代理人所説のように単に不法行為に基く慰藉料請求においてのみ斟酌せらるべきものではなく、原審判にはこの点について財産分与請求と慰藉料請求とを混淆したような廉は認められなく、……」（名古屋高決昭二九・六・三月報六・六・四四）。

二　財産分与の額および方法

判決または審判によつて配偶者の一方から他方に分与される財産の種類、分与の方法ならびにその額はそれぞれの事案の内容によりおのずから区々ではあるが、試みに以下分与財産の種類別に判決または審判に摘示された事案の概況と分与の額、方法等について検討してみることとする。

（一）　金銭を分与したもの

金銭によつてなされる財産分与の事例が圧倒的に多数をしめることはもとより当然のことという

べきである。その支払の方法については、判決によって財産の分与を命ずる場合は例外なく一時払であるが、審判によってこれを命ずる場合には、一時払のほか、最小限度の分割払および月賦払を認めた事例も少くはない。

(1)　一時払または最小限度の分割払を命じたもの

判決による財産分与の額に関しては、前掲【16】【17】【18】【19】【21】【22】【23】の各事例のほか、なお次のような事例をあげることができる。

【48】　(イ)婚姻継続期間約二十年、その間夫婦の実子はなく、養女が一人ある、(ロ)夫も妻もともに賭事を好み正規の職業に専念せず生計破綻に頻しているため夫婦の離合すでに数回、遂に別居して事実上の夫婦別れをしている。夫は別居後他の女と同棲している。――離婚原因たる婚姻を継続し難い重大な事由あるときに該当する。以上の事案につき、「被告（筆者註―夫）が現在保証金として供託した金十五万円を有することは当事者間に争いがないが他に財産ある旨の何等の証拠もないから被告の財産は右金十五万円と認めなければならない――中略――原被告が事実上の婚姻をした後に被告が家屋を買入れ其の後右代金は原被告が夫婦として同棲生活中に支払つたことを認め得べく右家屋を原被告が別居後被告が金二十五万円で売却したことは被告の自認するところであり又前記各証拠により認め得べき原告が被告との共同生活中に果した内助の情況被告が既に右代金中金十万円を費消したこと等を斟酌して被告は原告に対し金七万円を分与するを相当と認める」（松山地西条支判昭三〇・一一・二九(タ)四号）。

【49】　(イ)婚姻継続期間約三年半、その間二男一女が出生したがいずれも生後間もなく死亡した、(ロ)妻は夫方において冷遇され、家事労働や農業に酷使されたばかりでなく夫に愛情がないために妻が妊娠しても医師や産婆の診察を受けさせず、三人の子もすべて死亡し、かつその健康を害するに至つたと確信していることから妻は夫との婚姻を継続する意思がない。また夫自身もこれ以上婚姻を継続することの希望を有しない。――離婚原因たる婚姻を継続し難い重大な事由あるときに該当する。以上の事案につき、「原告（筆者註―

妻）が婚姻前から満三年以上被告方にあつて農事に努力したこと、被告は自己名義の財産を所有していないとしても、その実兄は農業を営み相当の資産を有すること、現在までに履行はされなかつたが前記の調停調書の内容（筆者註—本訴提起前原告が申し立てた調停において原告と被告とが婚姻を継続して円満な家庭生活を営むための援助として被告の実兄は被告に対して田一反四畝、畑一反七畝七歩、山林五反十畝、家畜三頭を贈与し、住家として十八坪の家屋を新築して贈与することを約束している）等を照し合せて考えると被告は潜在的には無資産ではなく、ある程度の資力を有すると考えられること、原告が現在病弱であり、従つて原告の将来の生活には相当の不安の存すること、原告は婚前は健康であつたこと、その他前記認定の諸事実を勘案すると、被告をして原告に財産分与を為さしめるべきであり、かつその額は金十万円が相当である」（福島地郡山支判昭三〇・一二・五・二八（タ）五）。

また、審判によるものとしては、次のような事例があげられる。

【50】「そこで相手方（筆者註—夫）をして申立人に対し財産を分与させるべきであるか否か又其の額を如何にすべきかにつき按ずるに申立人は相手方と結婚して約十三年、其の間四人の子女を儲け家業である農業に励み、姑、小姑等に仕え相手方の為め相当の資産を維持、確保して来たものであるが、昭和二十一年〇月相手方復員後夫婦の間はとかく面白からず、時々争が起り家庭に風波が絶えなかつた様であるがこれは申立人と相手方が姑〇〇の反対にも拘らず結婚したものであるが申立人は相手方に対し良き妻として仕え家業である農業に精励し、姑〇〇に対し考養を尽したが〇〇は冷酷で申立人と相手方の円満な仲を嫉妬し申立人に対しては温情のない仕打で苦しめ、それを快しとする有様なので相手方も次第に家業に精励することなく申立人に対しても冷遇虐待する様になり夫婦の間はとかく面白からず家庭に風波が絶えなかつたところ申立人は数度家出をしたが三人の子供（筆者註—子供四人のうち一人は死亡）可愛さに姑並に相手方に詫を入れて帰宅したのであつた。然るに相手方は昭和二十六年〇月頃、家を出て〇〇市に飲食店を開業経営して申立人と別居し間もなく其の従業婦を情婦となし申立人並に其の家庭を顧みざる様になつたところが相手方は右

飲食店の経営がうまくゆかず多大の損失をして廃業し、昭和二十七年〇月頃家庭に復帰し申立人に対し虐待侮辱を加えたので申立人は堪え切れず家を飛び出したところ相手方はこれを好機として前記の情婦を家に引入れ之を妻同様に待遇して同棲し遂に申立人と離婚するに至つたのである。それで以上諸般の事情を考慮し（筆者註―離婚当時の夫の財産は住家一棟、倉庫一棟、物置一棟、田一町五畝、畑一畝および家財道具、農器具で、これらのうち、住家は婚姻中草葺を瓦葺に葺き替えたもの、物置は婚姻中に新設したもの、また田一反四畝のほかは農地解放によつて相手方の所有となつたものであるが、戦前戦後にわたり、殊に夫の応召中妻が家庭を守り田畑につき耕作に従事し耕作権を確保していた結果自作農の権利を取得したもので、いずれも妻の努力によるものである）相手方をして申立人に対して財産を分与せしむべきものとし、其の額は金四十万円を相当とし……」（金沢家審昭二七・一二・二七）。

【51】(イ)婚姻継続期間約二年半、(ロ)夫婦間には子なく、妻の連れ子が一人、(ハ)夫が改正民法により妻に相続権あることを知つて驚いたことと妻の連れ子が成人すれば婚姻費用として相当の支出をしなければならなくなることを苦慮して妻をうとんじ離婚を要求するに至つた、(ニ)夫の財産は住家一棟、田畑山林等合計二百万円相当、中流以上の生活を営んでいる、(ホ)夫は妻に離婚を要求した際いとま金として十五万円を支払うと申し出た。以上の事案につき、「依つて諸般の事情を考慮して参与員の意見を聴いて相手方（筆者註―夫）が当初いとま金として合計金十五万円支払うからと呈示した金高が相当なものと認め、さきに申立人に交付した金三万円を差引した残金十二万円を収穫の季節である今秋十一月末日までに支払はしむるのが適当と思い、……」（秋田家能代支審昭二八・三・二五）。

【52】(イ)妻の嫉妬心が強く、婚姻前夫が料亭で知り合つた女と十年振りに再会したことからその間柄を疑い紛争を引き起したことが離婚の原因、(ロ)離婚の際夫から妻に慰藉としてミシン一台、箪笥一棹等を贈与した、(ハ)夫婦間の子四人は夫が親権者となつて監護養育している、(ニ)妻は離婚後女中をして働いている。以上の事案につき、「申立人（筆者註―妻）が十四年間も相手方と同棲し四人の子を生み育児その他の家業は勿論家具製作販売の家業にも協力し年々相当の収入を得たことや〇〇市長回答書によれば相手方は家屋五四坪

時価二〇万九六〇〇円を有し――中略――〇〇銀行〇〇支店長の回答書によれば相手方は預金十余万円を有すること等を考え相手方は相当の財産を申立人に分与すべきであつてその額は資産関係、生活状態、離婚原因その他年令能力上記贈与等一切の事情を考慮し金五万円が相当であると認定する」（鹿児島家審昭二八・五・一）。

【53】 (イ)夫は四十九歳、妻は四十三歳でともに再婚、婚姻継続期間約二年半、(ロ)夫婦間の子はなく、夫と先妻との間の子四人あり、夫の母同居、(ハ)夫が妻に支給する生活費月額二万円では不足勝ちのため、妻は相当の額をその実家から補給を受けていた、(ニ)妻の実家は母と義姉で農業を営み、田二反、畑六反を有するのみ、妻は離婚後は洋裁によつて生活を維持する方針、(ホ)夫には特に資産として挙げるべきものなく、会社員としての収入は一箇月平均六万円程度、(ヘ)妻と先妻の子等との感情的対立が離婚の最大原因である。以上の事案につき、「財産分与の性質につき特に離婚後における配偶者の一方の扶養であるとの趣意を重視するときは、前叙離婚事由、婚姻費用分担の事情、婚姻期間、申立人（筆者註――妻）の家事労働の程度状況並にその年齢、将来の方針、申立人実家の状況及び相手方の資産収入等その他本件にあらわれた一切の事情を総合するときは相手方は申立人に対してその資産中より金十五万円を支払うを相当とする」（東京家審昭二八・六・一二）。

【54】 (イ)婚姻継続期間約二十五年半、夫と妻との間に出生した子一人、(ロ)妻は頑健な体質ではなかつたが結婚以来農業に精励しよく夫に仕えてきた、(ハ)夫は素行が修まらず遊興費に資産を浪費していたが、結婚後十五年を経た頃から妾を囲つてその間に一子を儲け、妻子を顧みなくなつたが、遂には妾とその子を自宅に引き入れて妻子と同居させ、事毎に妻を虐待、侮辱したため、妻もこれに堪えられずして家出し離婚を決意するに至つた、(ニ)夫の資産は住宅一棟、倉庫二棟、納屋二棟、蚕室一棟、宅地約二百坪、田畑山林等十六反余である。以上の事案につき、「鑑定人〇〇の鑑定の結果及び右鑑定人訊問の結果を総合すると別紙目録記載(一)(二)の不動産（筆者註――夫の資産）の価格は最低八十五万円以上あることが認められ、これに相手方（筆者註―夫）本人審問の結果認められる相手方が他に負担した十万円を控除するも動産不動産を合計すれば右金額を下らない財産のあること前記戸籍謄本の記載証人〇〇の証言及び申立人本人審問の結果を総合すれば、――中略――申立人は離婚後一時実家に身を寄せていたが現在は東京で女中奉公に住み込み信仰に頼

りながら淋しく暮していることが認められ、これに申立人と相手方との婚姻の期間、離婚の原因、申立人が一部動産を持出し処分したことその他諸般の事情を彼此総合すると、相手方は申立人に対し財産分与として本審判確定後一カ月以内に金十万円三カ月以内に金十万円を支払うべきものと定める」（鳥取家審昭二八・八・二五）。

【55】(イ)婚姻継続期間約四年、その間に出生した子供二人、(ロ)妻は結婚以来ひたすら夫に仕え家業に精励したにかかわらず、夫は当初から愛情がなく家庭に落着かず、事ある毎に家風に合わぬと冷淡に扱つていたが、たまたま妻が盲腸炎を患つて入院手術中他の女と情交関係を結ぶに至つたことが離婚の原因、(ハ)婚姻中に取得した財産としてはラヂオ、机、茶棚、火鉢等でそのほかに約一万円の貯金があるのみ、(ニ)夫は会社員で月収一万円位であるが、その父は相当の資産家である、(ホ)離婚後妻は二児を抱え、再婚の望みもなく、その前途は暗い、これに反して夫は従前から関係のあつた女と結婚式をあげ同棲している。以上の事案につき、「依つて審按するに当事者の婚姻期間、離婚に至つた経緯、その後の経過及び双方の資産状態を総合勘案し、相手方（筆者註—夫）は申立人に対し金八万円也を財産分与として給付することを適当と認め、……」（長崎家福江支審昭二八・一〇・二六）。

【56】(イ)婚姻継続期間約三十年、その間三人の子女を儲けた、(ロ)離婚の二年位前から夫は妻に対し理由なく家を出て行けというようになり暴力を振つて家に居られぬように仕向けるので遂に堪え兼ねて三人の子供をつれ実家に身を寄せるとともに離婚の家事調停を申し立てた結果離婚の調停が成立した、(ハ)婚姻当初夫は畑一反歩を有するのみであつたが、妻が日傭稼をして働いた結果、婚姻後十年で家屋敷（時価四十万円位）を所有することができるようになつた、(ニ)妻は全く無資力。以上の事案につき、「相手方（筆者註—夫）と申立人が大正十四年〇月〇日結婚し昭和二十八年〇月〇日離婚の調停が成立したことは〇〇の戸籍謄本によつて明である而して当裁判所は証人〇〇同〇〇の各証言及び当事者各本人の審問の結果及び〇〇の不動産評価証明を総合考慮して相手方は申立人に対し離婚に伴い財産を分与すべき義務あるものと認定しその額を金一〇万円をもつて相当と思料し……」（津家審昭二八・一二・八）。

【57】「本件当事者間の上記離婚に基く申立人（筆者註—妻）の相手方に対する財産分与の額は何程が適

当であるかにつき案ずるに甲第一号証証人○○同○○同○○の各証言及び当事者双方の各陳述によれば申立人と相手方とが婚姻した昭和八年○月頃は相手方には相手方の養父母と当時十四歳の相手方の長女○○と七歳の三女○○とがあつて相手方は農業のかたわら居村役場に勤務していたもので申立人と婚姻後始めの程は夫婦の間は円満で申立人は家にあつて主として家計をとり農業に従事し家計の助けのため時には縄仕事もやり居村の婦人会の役員もやりながら上記二人の子女の教育監護に当つていたが上記○○が成長するにつれ同人と申立人との折り合いがよくなくなり家庭内にいざこざが生じたために引いては夫婦間にも争いが生じるようになつて申立人もこれにたえかねて何回も離婚話が生じ遂に上記離婚となつたものであり一方相手方の財産状態は婚姻の当初は別紙目録記載の(2)(3)(4)の田畑と山林の内(5)を除くその余の山林四筆及び納屋を除く宅地建物とを所有しその他の田畑は小作して居つたがその後相手方の○○恩給当事者双方の協力によつて得た資金によつて農地解放の時に小作していた田畑を買受け上記離婚当時までに相手方は別紙目録記載の不動産を所有するにいたり相手方は居村で中流以上の生活をしているものであることが認められる。だから別紙目録記載の不動産中相手方が申立人の婚姻前から所有していたものを除くその余のものは申立人と相手方との協力によつてえた財産といわなければならない。そして別紙目録記載の納屋は証人○○の証言によれば申立人と相手方との協力によつてえたものとは認めがたく、また申立人主張の相手方所有の農具家財についてはその種類価額を認めるに足る証拠がないからこの点の申立人の主張は採用しない。鑑定人○○の陳述及び鑑定の結果によれば上記認定の相手方所有の不動産の現在の価額は四十七万八千六百円で当事者双方協力によつてえた別紙目録記載の不動産の価額は三十六万三千円であることが認められる。よつて上記認定の本件当事者双方の協力によつてえた財産の価額上記認定の申立人が離婚するまでに相手方が所有していた不動産の価額、民法所定配偶者の相続分の他上記認定の本件当事者の婚姻中の各事実等を考慮して相手方が申立人に財産分与すべき額を十三万五千円とし、かつこれを金員をもつて相手方は申立人に一時支払うべきものと定める」（神戸家洲本支審昭二九・五・二〇）。

【58】(イ)。夫妻とも再婚で、婚姻継続約七年、夫婦間には子供はなく、夫と先妻との間に生まれた子が六

人ある、(ロ)先妻の子の養育に関して夫婦の意見が合わずしばしば紛争をかもしたほか、妻が先妻の子に対して冷淡であつたためその間のいさかいが絶えずあつれきのない明るい家庭生活を期待することの不可能なことを双方さとり協議の上離婚するに至つた、(ハ)妻は結婚の際相当の家具衣類等を持参し夫との共同生活に使用し、中には子供等のために利用したものもある、また夫の生活の苦しい当時二万円程融通したこともある、(ニ)夫は物品行商で月収二万円程度、財産としては時価三十六万円程度の住宅一棟があるのみ、(ホ)離婚後妻は農業を営む弟の厄介になつている、ことに最近は病身のためいろいろの経費を弟から出してもらつている。以上の事案につき、「分与すべき額について考えるに相手方（筆者註—夫）尋問の結果によると、相手方の現在の月収入は二万円程度であるが同業者がふえているので収入は減る傾向にあり、これによつて残された数人の子供の養育をもしなければならないわけであるから相手方の生活が容易でないことは認められるが、併し相手方は未だ働き盛りであるにひきかえ申立人の生活状態は前記の如き事情である。これ等の諸般の事情を参酌するとき本件財産分与の額は現金二万円を以て相当と認める、然し相手方の現在の財産及び収入を以てしては一時に右金員を分与することは困難であるので昭和二十九年十一月三十日限り一万円、昭和三十年二月二十八日限り一万円を分与すべきものとする」（水戸家下妻支審昭二九・九・一四）。

【59】(イ)婚姻継続期間約七年、二人の子供がある、(ロ)夫婦仲は円満で農業に従事していたが、夫妻とも通常人より知能低く、近隣の親族の世話になつて生活していた、(ハ)夫の弟と同居後、妻は弟の日常の仕打に堪えられなくて実家に戻り、やがて夫も弟に家を追われる結果となり同居生活が不可能となつたので調停離婚をするに至つた、(ニ)二人の子供は離婚後妻が監護養育している、(ホ)夫の離婚当時の財産は家屋三棟、田約七反、畑二畝十七歩、宅地二百十五坪でその固定資産税評価額の合計は二十一万二百二十六円である。以上の事案につき、「よつて申立人（筆者註—妻）と相手方の婚姻するに至つた事情、婚姻生活中の状況、離婚の理由、申立人相手方共通常人より知能低く自活能力がなく当事者双方がその協力によつて得た財産は皆無に等しい事情並に子の監護事情、当事者双方の離婚後の生活状況等一切の事情を考慮し、当裁判所は参与員の意見を聴いた上相手方は申立人に対し金五万円を財産分与として支払うのを相当と認め……」（岐阜家審昭二九・一二・二七）。

【60】(イ)夫妻とも再婚で、婚姻継続約二十年、その間夫妻の子はなく、夫に先妻との子が一人ある、(ロ)先妻の子（娘）が幼少である間は妻はその養育にあたるかたわら家業である農業に従事し家庭は平穏であつたが、先妻の子が成長するに及んで妻との折合悪く、その上娘が妻の反対を押し切つて恋愛結婚し夫婦で同居するに至つてからは家庭内に風波が絶えず、夫も妻に冷淡となつたことが離婚の原因、(ハ)離婚当時における夫の主要な財産は宅地二百七十坪、家屋二棟、田七反八畝、畑五畝で、そのうち宅地百四十二坪、家屋一棟、田三反九畝、畑一畝二十九歩は婚姻中に増加した財産であり、夫の全財産の評価額は約百七万円である。以上の事案につき、「以上認定の諸事情及び本件審判にあらわれた諸般の事情を斟酌して、本件財産分与の額は現金三十五万円を以て相当とする。しかし相手方の現在の財産及び収入状況を以てしては、到底一時に右金員を支払うことは困難であることが認められるので本審判確定の日から百日以内に内金二十万円、三百日以内に残金十五万円を分割支払うものとする」（福岡家久留米支審昭三〇・三・三一）。

【61】(イ)婚姻継続期間約二年半、子供なし、(ロ)妻に不貞行為とまではいかないが、人妻として面白からぬ行為のあつたこと、夫が嫉妬に過ぎ妻を責め、暴行の挙に出でたため妻をして別居するに至らしめたことが離婚の原因となつた、(ハ)土地約四十坪および同地上の住宅一棟が婚姻中に夫の取得した財産で、その時価は約三十万六千円、(ニ)夫の右土地建物は主として借金によつて得たものであるが、借金の返済は夫と妻が教員として共稼ぎによつて得た給料で賄われたものであるから、夫の右資産造成には妻の協力が与つて力がある。以上の事案につき、「申立人（筆者註—妻）が本件資産の造成に協力した点は多大であると認められるが、前述の如き離婚の事情等を勘案し、調停における申立人の最終の申立趣旨は事件解決の為め財産分与額を十万円に譲歩すると云うにあつたが、調停不成立となり審判に移行したのであるから右十万円の額は解消され、結局相当額と解するべきものであるから相手方は申立人に対し本件不動産の価額の約十分の四（筆者註—十二万円）を分与すべきを相当と認め、……」（静岡家審昭三〇・九・二二）。

【62】(イ)夫は大学中退、妻は中学卒でともに初婚、(ロ)婚姻継続期間四年四月、子供は一人、(ハ)夫は公務員で婚姻当時は月俸七千円位であつたが漸次昇給して離婚当時は一万五千円位、他に資産はない、(ニ)妻は離婚

後子供とともに病院に臨時雇として住み込み月給約五千円を得ている。以上の事案につき、「財産分与の点に就て考察するに、当事者双方の婚姻生活の間、積極的に財産の増加を看たことがないのであるが、相手方（筆者註―夫）の収入が月七千円位から一万五千円位に増加したことは申立人が四年余りの内助の努力も加はつていることは否定できない。この功績に対し相手方は申立人に対し相当の報酬を支払うべきである。而して其額如何と謂うに、前記の諸事情から看て当裁判所は金五万円を相当と認める」（名古屋家岡崎支審昭三〇・一二・七）。

【63】　(イ)夫も妻もともに専門学校卒初婚、婚姻継続期間約二十年、子供はない、(ロ)婚姻中夫は前後三回通算して七年間応召不在、その間妻は留守宅を離れて自活することが多く、必ずしも留守を守り内助の功が十分であつたとは認められない、(ハ)夫は復員後他の女との間に情交関係を生じたため家庭に風波が絶えず、時には夫が妻に対して暴力を振うことがあり、これが離婚の主たる原因となつた、(ニ)離婚当時夫は時価百万円相当の家屋一棟を所有していたが、これは婚姻中夫妻の協力によつて建てられたものである。以上の事案につき、「依つて諸般の事情を考慮し相手方（筆者註―夫）は申立人に対し財産分与として金二十五万円を支払うべきを相当とし……」（金沢家審昭三〇・一二・一九）。

【64】　(イ)婚姻継続期間約三十四年、子供六人ある、(ロ)婚姻中夫は妻に対し妻としてまた一家の主婦として尊重し、精神的に物質的に苦楽を共にする気持が欠けていたため、自ら家計その他家庭内の一切の支配権を握り、独断で或いは妻の反対を押し切つて単身外地に出掛けたり、事業を始めたりして一時は殆んど全財産を失い、苦しい生活に追い込まれたこともあつた、(ハ)妻も多少我儘で無頓着なところはあつたが、農家の主婦として特に不都合な点があつたわけではなく、育児や日常の家事はもちろん、農業にも専心従事した、(ニ)妻が従来の生活の不甲斐なさを自覚し夫との間に精神的な溝ができ、口論が絶えず、夫は妻に対し暴力を振うようになつたことが離婚の原因、(ホ)離婚当時の夫の財産は田畑山林計約五反、宅地約五百坪、家屋一棟、家畜牛一頭で、時価合計約二百四十万円、(ヘ)妻は離婚後弟の厄介になつているが、分与財産を資本として営業をはじめ独立して生活したい希望を有する。以上の事案につき、「以上の認定事実によつてみると、相手方（筆者註―夫）は申立人に財産分与をすべきことはもちろんであるが、その方法としては現物で分与するの

は不相当であつて、現金を以て支払うのを相当とする。そこでその額についてみると、当事者間の結婚生活の推移、その破たんの原因、双方の今後の生活能力、子の扶養関係、財産の状態ならびにその取得経過その他諸般の情況を考慮すれば、相当多額の分与をしてしかるべきであるが、一方相手方の財産はそのほとんどが不動産しかも農業資産で、現在はその量も少く、かつ換価等して現金を捻出することも必ずしも容易ではないし、農業を本業とする相手方の生活も一応維持する必要を考えれば、金四十万円を以て相当と認める」（福島家審昭三〇・一二・二六）。

(2) 月賦払を認めたもの

【65】 (イ)婚姻継続期間約八年半、四人の子供が生まれたが内一人は死亡、(ロ)婚姻中妻は勝気に過ぎ性格的に夫と合わず、あまり家事に努めず内助の功にも欠けるところがあつたが、冬期には編物の内職をして子女の養育につくした、(ハ)夫は性利己的で生計費の半額位しか月給を渡さぬことがあり、酒を好み妻の素行について邪推し、しばしば暴力を振つた、このことが原因で調停離婚が成立し、三人の子供の内一人は妻、他の二人は夫が各親権者となつて監護養育することとなる、(ニ)離婚当時の夫の財産は時価二十五万円に相当する家屋一棟、貯金一万円のほか簞笥、ラヂオ、自転車、石油コンロ等の家財道具、そのうち家財道具は婚姻中に購入したもの、(ホ)夫は公務員で給料一万五千円位、ただし約十八万円の負債がある、(ヘ)妻は別段の収入はなく、離婚後は実母の世話になつて生活をしている。以上の事案につき、「当裁判所は前記せる諸般の情状を勘案し申立人（筆者註—妻）に対する相手方の財産分与は主文第一項掲記（筆者註——今後四年間金二千円宛を毎月末限り支払うべし）の範囲をもつて相当と認め……」（松山家宇和島支審昭二八・一〇・三一）。

【66】 (イ)夫も妻もともに初婚で婚姻継続期間四年半、子供が三人ある、(ロ)妻は働き者ではあつたが、元来短気な上女らしさに欠けるところがあり、夫や夫の両親と些細なことから喧嘩口論して度々実家へ戻つた、もつとも、夫やその父も短気でしかも吝しよくで喧嘩を誘発していたことも否定できない、このような状態が続いた結果遂に離婚することとなり、三人の子供のうち一人は妻が、二人は夫がそれぞれ親権者となつて

監護養育することとなつた。(ハ)妻には母と兄弟数人あり、家屋一棟とその敷地および田畑六反を有する部落中流の農家、妻自身は無資産で独立する生活能力なし、(ニ)夫は結婚当初は家屋一棟、田畑二畝を所有し小作四反余の小農であつたが、結婚後に田畑約五反を取得し家屋一棟を増築したほか数万円の仏壇を買替え中流農家に躍進した、これら財産の増加は夫の努力によるものではあるが、妻の内助の功も無視できない。以上の事案につき、「本件当事者の婚姻期間、離婚に至るまでの経過、身分、職業、資産、収入その他本件に顕われた諸般の事情を斟酌し、右財産分与額は金四万円を相当と認め、本件審判確定後十日以内に金二千円を支払い、その支払を終つた月の翌月から、毎月末日限り金二千円宛、月賦の方法で合計金四万円に満つるまで申立人（筆者註―妻）住所に送付すべきものと定める」（大津家長浜支審昭二九・四・九）。

【67】 (イ)婚姻継続期間約六年半、子供はない、(ロ)婚姻当初夫は自転車屋を営んでいたが後免許証を得て自動車運転手となつた、しかし夫が妻に渡す生活費は常に不足勝のため妻は内職してこれを補つていた、(ハ)婚姻中夫が他の女と通じてその間に生まれた子を引き取つて養育することになつたことと妻が夫の母と不和になつたことが原因となつて協議離婚した、その際夫から妻に手切金として六千円交付された、(ニ)離婚当時夫は月平均一万円位の収入のほかには別段の資産はない。以上の事案につき、「申立人（筆者註―妻）は相手方に対し上記協議離婚に基づく財産分与金として四万円を請求しうるものと認め、――中略――相手方は上記認定のように月々平均一万円以上の収入をえているから、上記四万円を本審判確定の月の末日から完済にいたるまで毎月末日毎に金二千円ずつを支払うべく、……」（神戸家審昭二九・一〇・一八）。

【68】 (イ)婚姻継続期間約三十五年、その間に生まれた子供五人、(ロ)夫が罪を犯し処刑されたことおよびその服役後情婦を囲つて家庭をかえりみなくなつたことが離婚の原因となつている、(ハ)離婚当時妻が有した財産は現金三十万円、預金六万円、店の権利二十五万円計六十一万円であるが、債務が約十一万円あるから差引五十万円程度、(ニ)離婚当時の妻の財産の一部が婚姻中における夫の協力によつて作られたものであることが認定できるが、大部分は妻の一方的な努力によつて築き上げられたものであることが認められる、(ホ)子供達は離婚前から父親から離反し母親になついていて今後も父親と生活を共にすることはないものと認められ

る。以上の事案につき、「以上認定の諸事情及び本件審判に顕れた諸般の事情を斟酌して本件財産分与の額は現金十万円をもつて相当と認め相手方（筆者註―妻）は申立人に対し右金員を昭和二十九年十二月から昭和三十年九月まで毎月末日を期し、一万円宛支払うべきものと認め、……」（長崎家佐世保支審昭二九・一一・二九）。

【69】 (イ)婚姻継続期間二年半、子供はない、(ロ)婚姻後二年目に夫の両親と別居して生活することとなつたが、夫の母親が別居に反対したため夫は妻に対し強硬に同居生活を提案したことから夫婦間の円満を欠くに至つたことが離婚の原因、(ハ)夫は電力会社の工員で月収一万五千円位、そのほかには資産はなくこの月収のうちから両親を扶養している、(ニ)妻は無資産、離婚の際夫から炊事道具一式と預金三万二千円の分与を受けている。以上の事案につき、「諸般の事情を勘案するときは抗告人（筆者註―夫）は相手方に対し既に分与した分以外に尚或程度の財産分与を為すべきであるがその数額は四万円を以て適当と思料する、而も右金額の一時払は抗告人の収入状態から観て困難であるから右金員を昭和三十年三月末から毎月末日限り金三千円宛（但最後の月は四千円）を右完済に至るまで分割して支払わしめるのを相当とする。」（名古屋高決昭三〇・三・九）（この決定は原審判が財産分与額を六万円と定め、毎月五千円ずつの支払を命じたのを稍過重に失するとして変更したものである。）

(二)　不動産を分与したもの

【70】 (イ)婚姻継続期間十七年、その間に出生した子女六人、(ロ)家計が豊かでなく、夫は家業である農業に精励せず、そのため家庭内に風波が絶えず遂に協議離婚をすることとなる、(ハ)婚姻後に夫が取得した田二筆約五反四畝のほかには夫所有の財産は家屋三戸と動産若干。以上の事案につき、「依つて按ずるに右二筆の田は夫婦協力の結果獲得したものと謂うべきであるが相手方（筆者註―夫）にはその子五人の親権者として之が教養監護の責を有すること、及び相手方は右二筆の農地の外家屋動産等を所有して居るのであるから彼此考察すると、右二筆の農地の中、主文掲記の物件（筆者註―田二反七畝十五歩）を申立人に分与するを相当と認める。然し右主文掲記の物件は農地であるから農地調整法によりその所有権の移動に就ては地方長官

の認可を要するのであるから万一不認可等の理由により、その分与不可能の場合に於ては相手方は申立人に対し、その代価として右物件の時価たる金七万七千二百円を支払うべきを相当と認め、……」（名古屋家岡崎支審昭二八・五・二五）。

【71】 (イ)婚姻継続期間約二十三年半、その間に出生した子四人、(ロ)離婚二、三年前から夫は妻子を置き去りにして他に居住し、家業である農業を放擲し生活費も送らないため家計が苦しくなつた上、監督不行届のため長男は品行がおさまらず農作物を持ち出したり母に暴行を加えたりするので、家庭生活を維持する意欲を失い離婚訴訟を提起して離婚の判決を受けた、(ハ)婚姻当時夫は住家と畑一反の貧農であつたが妻が夫と協力して農業に精励した結果田一反畑六反雑地八畝を買い入れ所有するに至つた、(ニ)妻は離婚後未成年の子二人と肥料小屋に居住し日雇に出て稼ぐ僅かの日当で糊口をしのいでいる。以上の事案につき、「離婚に至つた事情及び婚姻期間、双方の資産状況、離婚後の申立人の生活状態並びに生活能力をあわせ考えると相手方をして申立人に対して離婚に伴う財産分与をなさしめるを相当と認めるからその額及び方法について考えると上記の如く、申立人所有の財産が主として農地であること双方が婚姻中協力して増加させた財産は田一反畑六反雑地八畝なることを考慮し分与の方法は現物分与を相当としその額は別紙目録第二の農地（筆者註―田二畝、畑二反四畝）を分与させるを相当と認め且つ右不動産につきその所有権移転登記手続をなすべきことを命ずる必要ありと考え……」（名古屋家豊橋支審昭二八・九・三〇）。

【72】 (イ)婚姻継続期間約十三年、その間出生した子三人のほか夫に前婚の子一人あり、(ロ)婚姻当初夫婦は家業である生花商を営んでいたが、戦時中その店舗は全焼、戦後妻は営々として働き艱難辛苦の末戦前に劣らぬ店舗を築き上げたが、夫は勝負事を好み真面目な仕事に従事せず、売上金を持ち出して乱費するので、遂に三人の子の親権者を妻と定めて調停離婚することとなつた、(ハ)離婚当時の生花商の店舗ならびに老舗料は合計約八十一万三千円と評価される。以上の事案につき、「本件財産分与の額方法等を審案するに分与の額については上記各認定の各事実と申立人（筆者註―妻）の相続分等を考え合わせて別紙目録記載の不動産（筆者註―宅地約二十八坪、家屋一棟）生花商の営業の老舗料――中略――の半額と認定する。――中略―

―また分与の方法は申立人の相続分その他上記認定の一切の事情、ことに上記認定の如く申立人が当事者間の三人の子女の親権者としてその教育監護に当る――中略――事情を考慮して申立人が上記財産分与額に相当する金額即ち四十万六千五百円を相手方に支払つたときは相手方は別紙目録記載の宅地及び建物を現在有姿のまま――中略――その所有権を申立人に移転登記し自己の費用で他に転居し申立人は現住のまま上記各営業を継続しつつ上記三人の子女を教育監護するを相当と認める。そしてもし申立人が上記四十万六千五百円を本審判確定の日以後三十日以内に支払わないときは相手方は財産分与金として金四十万六千五百円を支払い申立人はこの支払を受けたときはその親権に服する○○、○○、○○の三名を引連れ自己の費用をもつて他に転居すべきものとし、……」（神戸家審昭二九・八・二四）。

【73】(イ)婚姻継続期間約十六年、その間に出生した子女三人、(ロ)夫が職を求めるためと称して妻子を妻の実父に預けたままその生活を顧みなかつたばかりでなく、妻に無断で協議離婚届を出したため、妻は夫との夫婦生活に将来の見込のないことを覚り、訴訟によつて離婚を無効とするとともに、あらためて調停離婚をすることとなつた、(ハ)婚姻中妻は農耕の仕事に精励し夫の応召中はよく留守をまもり、隣近所の嫁にもまさる嫁との評判をとつた、(ニ)離婚後妻は三人の子女の親権者となつてこれを養育している、(ホ)夫はその父の死亡により、遺産である時価五十三万円余の不動産について共同相続人として約十四万円に相当する相続分を有するほかは全く無資産、(ヘ)不動産は農地で売却することは極めて困難であるため金銭による分与は困難である上妻は永年農耕に従事した身であり他に生業を有しないから、今後も農耕によつて自己および子女の生活を営むことを希望する。以上の事案につき、「此の際相手方（筆者註―夫）より相当の農地を分与せしむるのが相当であるが、前記認定の如く別紙第一、第二目録記載の不動産は前記遺産相続人により共同相続され現にその共有に属し、随つて相手方は共有持分を有するに止まるが故に別紙第一、第二目録記載の不動産中家屋並に宅地を除きその持分中十分の三を分与させるのが相当であると認め……」（秋田家大館支審昭三〇・八・二〇）。

【74】「被告（筆者註―夫）の現有財産は宅地二百三十五坪、家屋四棟、山林六町五反五畝七歩、原野八畝二十九歩、田一町一反四畝二十二歩、畑三反三畝三十八歩に対する三分の二の共有持分で原告はその財産

の散逸又は減少を防ぐに全力を挙げて来たこと、原告は被告と結婚同棲すること十有五年被告との間に六人の子女を挙げこれを哺育扶養するとともに被告の老母に孝養を尽し、とかく勤労を厭う被告を助けて営農に努力し家名の維持家庭生活の改善向上に甚大な寄与をして来たが、破婚後なんらの生活資源をも有たず今後その痩腕一本で六人の子女を扶助養育しなければならない事実と離婚に至つた諸事情（筆者註―被告が他女と慇懃を通じて外泊、生業農及び家庭を顧ず、あるいはその老母や家妻に暴行虐待を加え子女の教育を忽せにし、あるいは家産を傾けるに至つたことが離婚の原因）を斟酌総合すれば被告は原告に対し前記共有持分のうち宅地、家屋、山林、原野の全部および田のうち四反八畝二十二歩、畑のうち六畝四歩を贈与するものとし田畑を除く他の不動産については直ちにその旨の登記手続をし、田畑については贈与移転についての許可を知事に申請し、その許可を停止条件としてその登記手続をする義務があると認めるのを相当とする。」（仙台地判昭三〇・一二・二八昭二九（タ）二六号）。

（三）　家財道具等を分与したもの

【75】　(イ)婚姻継続期間約九年、子供はない、(ロ)妻が夫以外の男子と情交関係を結ぶに至つたことが離婚の直接の原因であるが、夫において妻を養うだけの十分な収入をあげ得なかつたため妻は自ら職を求めて働きその収入をもつて夫婦の生活を維持していたもので、妻がこのような理由から家を外に労務に従事している間に偶々他の男子の誘惑に陥り関係を結ぶに至つたものと認められるから、不貞の責任を一切妻に負わせることは酷であり、夫にもその一半の責任がある。以上の事案につき、「離婚当時別紙第一目録記載の家財道具（筆者註―ミシン、箪笥、ラヂオ、等家具および衣類五十数点）の存していたことは相手方（筆者註―夫）の認めるところで只相手方はこれ等の財産は全部自己の特有財産であるから申立人に分与することはできないと抗争するのであるが当裁判所は申立人の陳述と調査の結果を総合し、これ等の財産は共稼ぎによつて得た共有財産と認めるから相手方は申立人に対し同物件の中から第二目録記載の物件（筆者註―ミシン、火鉢、本箱、毛布等家具および衣類二十数点）を財産分与として引渡すべきものと認定する。若しその引渡

ができない場合はその代価を金三万円と見積り同金額を申立人に支払うべきものである」（京都家審昭二八・九・二八）。

【76】　(イ)婚姻継続期間約三十二年、六人の子女がある、(ロ)性格の相違のため婚姻当初から相互に感情の不和を来して相譲らず、遂に調停離婚となつた、(ハ)離婚当時の夫の財産は宅地百八十坪、畑約二町、家屋一棟のほかは漁具であるが、婚姻中に取得したものは漁具のみ。以上の事案につき、「当裁判所は離婚当時の全財産と協力その他に因つて得たる財産に対する申立人（筆者註—妻）の本件財産分与請求の適否を勘案し婚姻の期間、離婚原因、成長して申立人の許に在り申立人を助けている子及びその余の親権者を相手方と定めたが申立人の許を離れずに養育されている全員の子供の点その後の生活能力その他諸般の事情を参酌して別紙(一)(二)目録物件中より主文掲記の物件（筆者註—畑一反四畝とタコ縄、イカリ、底見ガラス等の漁具七点）を申立人に分与するのを相当と判定し……」（函館家審昭二九・七・二）。

(四)　賃借権を分与したもの

【77】　「当裁判所の真正に成立したものと認める甲第一号証戸籍謄本によると原被告は大正十三年八月四日婚姻し其の間に四男三女を儲け主文第二項掲記の三男一女は未成年者なる事実を認めることができる。而して証人〇〇、〇〇の各証言原告本人訊問の結果を総合すると原告は被告と婚姻同棲して以来主として原告の呉服掛継なる賃仕事よりの収入で被告一家の家計を支え子女を養育して来たものであり、被告自身の収入は挙げて之を自分の道楽に費消し家庭を顧みなかつたのであり其間被告は他に情婦を作り慇懃を通ずるを常とし女を替えること八回にも及び現在は被告肩書〇〇方で同女と同棲して居る始末であつて時々原告方に帰つて来るがそれは専ら賭博や競馬、競輪等自己の遊びの為めの金品を要求する為であり原告が之に応じないと乱暴し物を投げつけたり刄物を持ち出したりして手におえない状態である事実及び被告は原告現住の家屋を被告名義で訴外〇〇より借受けているところの賃借権の外殆ど何等の財産もなく原告は其の呉服掛継なる賃仕事と其の長男の型彫なる賃仕事と双方の収入から漸く糊口を凌いでいるのであるが之等の仕事は得意筋

の関係から原告現住家屋を是非共必要とし若し之を失う時は忽ち生活に窮するものであること、並に未成年者たる前記三男一女は被告の行状が右の如くであるので被告を父として慕つていない事実を各認定することが出来る。――中略――原告の離婚請求は理由があるから之を認容し又原告の未成年者たる子女に対する親権者の指定及び財産分与の申立も右認定の如き事情の下に於ては之を各原告主張通り指定し又は財産の分与（筆者註―原告現住家屋に対する賃貸人訴外○○賃借人被告なる賃借権の讓渡）を命ずるのが相当であると認められる」（京都地判昭二五・五・一三下級民集一・五・七二九）。

判例索引

著者紹介

中川善之助（なかがわぜんのすけ） 東北大学教授

島津一郎（しまずいちろう） 千葉大学助教授

市川四郎（いちかわしろう） 東京家庭裁判所判事

総合判例研究叢書　**民　法 (3)**

昭和32年2月20日　初版第1刷印刷
昭和32年2月25日　初版第1刷発行

著作者　中川善之助　島津一郎　市川四郎

発行者　江草四郎

印刷者　杉田弥太郎

東京都千代田区神田神保町2ノ17
発行所　株式会社　有斐閣
電話九段(33)0323・0344
振替口座東京370番

印刷・杉田屋印刷株式会社　製本・稲村製本所

総合判例研究叢書 民法(3)
(オンデマンド版)

2013年1月15日　発行

著　者　中川　善之助・島津　一郎・市川　四郎
発行者　江草　貞治
発行所　株式会社 有斐閣
〒101-0051　東京都千代田区神田神保町2-17
TEL　03(3264)1314(編集)　03(3265)6811(営業)
URL　http://www.yuhikaku.co.jp/

印刷・製本　株式会社 デジタルパブリッシングサービス
URL　http://www.d-pub.co.jp/

AG456
ISBN4-641-90982-2　Printed in Japan